Les Éditions du Boréal
4447, rue Saint-Denis
Montréal (Québec) H2J 2L2
www.editionsboreal.qc.ca

POUR QUI
JE ME PRENDS

Lori Saint-Martin

POUR QUI
JE ME PRENDS

récit

Boréal

© Les Éditions du Boréal 2020
Dépôt légal : 1er trimestre 2020

Diffusion au Canada : Dimedia
Diffusion et distribution en Europe : Interforum

Catalogage avant publication de Bibliothèque et Archives nationales du Québec et de Bibliothèque et Archives Canada

Titre : Pour qui je me prends / Lori Saint-Martin, autrice.

Noms : Saint-Martin, Lori, 1959- auteur.

Identifiants : Canadiana 20200070991 | ISBN 9782764626306

Classification : LCC PS8587.A3465 P68 2020 | CDD C843/.54—dc23

ISBN PAPIER 978-2-7646-2630-6

ISBN PDF 978-2-7646-3630-5

ISBN ePUB 978-2-7646-4630-4

Pour Paul, qui m'a donné
l'idée et l'envie

For my parents, for my sister,
for Nicolas and Anna

Tout le monde a une langue maternelle

Je voudrais que chaque page de ce livre soit la première page. Commencer par partout. Ça commence par partout, je pense. Tout me semble être le début.

* * *

Mon nom n'est pas le nom de mon père.
Ma vie n'est pas la vie de ma mère.

* * *

Si j'ai changé de vie et de langue maternelle, c'était pour que ma mère ne puisse pas me lire.
Si j'ai changé de vie et de langue maternelle, c'était pour pouvoir respirer alors que j'avais toujours étouffé. Je raconte, ici, l'histoire d'une femme qui a appris à respirer dans une autre langue. Qui a plongé et refait surface ailleurs.

* * *

Tout le monde a une langue maternelle, même ceux qui n'ont pas connu leur mère. Une langue qui nous est donnée en cadeau avec le premier souffle, une langue qu'on respire comme l'air, qu'on avale comme l'eau, une langue qui coule en nous, légère, facile, *native*. Pour moi, ce mécanisme a grincé, cet air m'étouffait, cette eau était chaux vive. Très tôt, j'ai su que je n'étais pas chez moi.

Tout le monde a une langue maternelle, et quelques-uns en ont deux ou davantage, acquises dès le berceau ou en arrivant à l'école : immigrants, expatriés et métissés, enfants de villes bilingues, comme Barcelone ou ma ville adoptive, Montréal. Ma particularité est d'avoir deux langues maternelles, l'une apprise de la manière usuelle (*like a normal person*, aurait dit ma sœur), l'autre acquise peu à peu, jeune fille et jeune adulte. Le français, ma langue d'amour, ma langue d'écriture.

Who do you think you are? demandait ma mère, accablée par la dureté de son aînée. *You're nobody special.* Si je me définis en moi-même, et non par mes relations avec les autres, je réponds : je me prends pour une femme. Je me prends pour une voyageuse, une écrivaine et une traductrice. Une professeure d'université. Une interprète de conférence. Une amoureuse des langues et des livres. Je me prends, avant tout, pour une personne qui a deux langues maternelles.

Née de parents unilingues anglophones qui avaient quitté l'école en dixième année, partie d'une ville du sud de l'Ontario où l'allemand aurait été le choix naturel de langue seconde, j'ai compris à dix ans que j'allais apprendre le français, *devenir* francophone. Mon coup de foudre linguistique. J'y ai mis mille heures et mille heures encore, et j'y suis arrivée, je suis enfin arrivée quelque part. J'ai séjourné à Paris, j'ai fait mon doctorat à Québec, à l'Université Laval, en 1991 je me suis installée à Montréal où je vis toujours, je suis mariée à un Québécois francophone avec qui j'ai élevé deux enfants qui ont deux langues maternelles et j'enseigne, en plus de l'écriture des femmes, la littérature québécoise et la traduction littéraire. Le français, que j'ai entendu parler pour la première fois à dix ans, est la langue de mon imagination, de mon souffle, la langue d'où surgit mon écriture. Mon ailleurs, mon ici, mon chez-moi.

Mes études supérieures et trente ans de vie professionnelle en français, une douzaine d'essais et quatre livres de fiction en français, plus de cent vingt livres traduits de l'anglais vers le français, voilà ma vie. Je n'ai jamais écrit un seul livre en anglais, ma supposée langue maternelle, et je n'ai signé aucune traduction vers cette langue. À part un intermède d'enseignement universitaire de trois ans à Toronto, j'ai vécu toute ma vie d'adulte au Québec.

Mais ma vie, c'est aussi plus de trente ans comme interprète, passant constamment d'une langue à l'autre. Vingt-six ans à parler exclusivement anglais à mes enfants, tout en parlant exclusivement français avec leur père depuis le début. Sept livres traduits de l'espagnol au français, sans détour par ma première langue première. La danse des langues dans tous les sens.

Ma première œuvre a été de me créer moi-même

comme francophone. Si je devais choisir une seule langue (mais je refuse de choisir, les trois me sont essentielles), ce serait le français.

C'est toute cette histoire que j'essaierai de raconter ici. Il y aura du sang, de la douleur, des trahisons et de la honte. Il y aura de la friction, donc de la fiction, là où les langues s'entrecroisent et font des étincelles. Il y aura surtout une célébration, des renaissances longuement méditées, un ballon rouge qui monte, vertigineux, dans un ciel radicalement neuf, la grande, l'immense fête de la langue.

*   *   *

La langue est une mer, on baigne dedans. Moi, j'ai refusé.

J'ai refusé ma langue maternelle, refusé la voix que j'avais en la parlant, les phrases que j'aurais prononcées et les pensées que j'aurais eues.

La langue première est immersion, grand bain tiède de sons et de sens. Je voulais jeter l'eau du bain, jeter la baignoire, jeter jusqu'au bébé que j'avais été dans mes eaux natives et nager de toutes mes forces vers d'autres rivages. Je ne pensais pas *cumul* alors, mais rejet, mort, nouvelle mise au monde.

J'ai adopté la langue française, comme on dit adopter un enfant, mais pour en devenir la fille et pour me redonner naissance.

C'était mon identité que je jouais, un saut dans le vide. Chez les gens normaux, le nom et le sang, le lieu et la langue coïncident et forment un tout bien ficelé qu'on appelle « moi ». J'ai coupé ces liens. J'ai tout laissé derrière. Je me suis défaite et refaite.

J'ai changé de lieu, de langue, de nom, de tout.

Je voulais, je devais rompre pour vivre, j'avais un marteau-piqueur et une mitrailleuse, rien de doux, rien de délicat, j'ai frappé, tiré. On s'atteint toujours au passage, mais j'étais prête à saigner. Je voyais les miens comme des ennemis. C'étaient eux ou moi. Ce serait moi. J'ai tué mes parents tant de fois que c'est par miracle qu'ils ont vécu jusqu'à quatre-vingts ans.

*   *   *

J'ai grandi dans une famille ouvrière, dans une ville d'usines toute grise, et c'est très jeune – vers huit ou neuf ans –, avant même la découverte du français, que j'ai compris qu'il me faudrait partir pour survivre. Si je n'y étais pas parvenue (la ville était pieuvre, grosse pierre attachée à mon cou), je me serais tuée à petit ou à grand feu, je me serais noyée, sauf qu'il n'y avait pas d'eau à cet endroit, mis à part un petit lac artificiel dans lequel on a jeté, en 1914, un buste du kaiser Guillaume Ier dont je reparlerai. C'est la langue française qui m'a sauvé la vie.

*   *   *

Très tôt, j'avais six certitudes : je ferais des études, je partirais, je changerais de langue, je changerais de nom,

13

j'écrirais. Je vivrais à Paris. Toutes se sont réalisées, sauf la dernière.

Je regardais autour de moi et je voyais tout avec une netteté nouvelle, avec cette clarté définitive qui baigne les choses qu'on a déjà quittées dans sa tête.

Comment m'y prendre pour tout laisser derrière? Au début, je ne voyais pas. Les gens de la classe ouvrière ne savent pas. Mes parents n'avaient aucune des clés du monde auquel je rêvais, ils n'en connaissaient même pas les portes. Et de toute façon, je gardais mes projets pour moi. Un prisonnier ne fait pas rapport à ses gardiens sur l'avancement du tunnel qu'il creuse.

*　　*　　*

Je ne disais jamais *devenir bilingue,* je disais *changer de langue.* C'était un échange, un délestage, je laissais l'anglais derrière. Phénix des langues, je mourais à l'anglais pour renaître en français.

La nourriture et les mots cohabitent sur la langue, sous le palais : la langue maternelle, comme les mets de la mère, peut être délice ou poison. Je recrachais une langue pour laisser toute la place à l'autre. J'étais bonne en français, j'étais la meilleure, sauf à un premier concours où j'ai perdu tous mes moyens. Je n'avais pas le choix, l'évasion était à ce prix.

*　　*　　*

Ma vie, comme femme de la classe ouvrière, était déjà écrite. C'est moi qui ai décidé de la réécrire.

La génétique est biologique, mais également sociale. J'étais programmée, moi aussi, pour quitter l'école jeune, me marier jeune, avoir des enfants jeune et, entre-temps, travailler en usine comme mes parents. Une cousine plus âgée, Darla, a été la première à terminer l'école secondaire, de toute notre famille élargie, et moi, cinq ans plus tard, la première à entrer à l'université.

Pas facile de *désécrire* ce qui a été écrit de tout temps dans votre lignée. Ni d'écrire ce qui ne l'a jamais été. Je tremblais, je doutais, je franchissais un seuil. J'arriverais où les miens n'étaient jamais allés, je les vengerais, je les trahirais.

Je savais que je traînais un énorme boulet. Ou encore j'étais moi-même cette pierre que je ne parvenais pas à soulever, cette pierre qui, chaque fois, déboulerait de nouveau la même grise colline.

J'étais nulle dans les sports, mauvaise en sciences, en mathématiques, en dessin, j'avais un tout petit filet de voix, alors adieu à mon rêve d'être Patti Smith. Les langues étaient, avaient toujours été mon unique planche de salut. Mais une suffit.

*   *   *

Si j'avais eu un frère, c'est sur lui que ma mère aurait déversé sa colère, son ambition frustrée. Elle n'avait que moi, son aînée, son unique enfant pendant presque six ans.

La main de ma mère m'a poussée, poussée, jusqu'à ce que je commence à m'éloigner d'elle. Et alors elle s'est mise à crier : *Pour qui te prends-tu ?* Et même après, même aujourd'hui, c'est sa main que je sens dans mon dos. Ses empreintes digitales sont partout sur moi.

*   *   *

Longtemps, j'ai été incapable de prononcer à haute voix le nom de la ville d'où je viens, sinon sous la contrainte (devant un douanier, par exemple), et il sortait comme une obscure injure qui se retournait contre moi, comme si on m'avait poignardée avec mon propre couteau. Longtemps, devant toute question sur mes origines *(Tu viens de l'Ontario ? Tu es franco-ontarienne, alors ?)*, j'ai répondu : *C'est une longue histoire,* avant de changer de sujet. En fait, c'était une histoire très courte, mais j'avais honte de la raconter.

Le moment est enfin venu de raconter cette histoire que j'ai cachée à la manière d'une tare.

· Cette ville dont je ne pouvais pas prononcer le nom s'appelle Kitchener. Comme moi, elle avait eu un autre nom avant, j'y reviendrai.

*   *   *

Ma sœur est morte jeune. Mes parents sont morts vieux.

Maintenant que, de ma lignée en amont, je suis la seule debout, je peux commencer ce livre. Je ne risque plus de les blesser, de les gêner. Mon désir d'écrire n'a pas causé leur mort, mais leur mort a libéré quelque chose en moi. M'a permis de commencer enfin.

Et si cette histoire est une lame, personne d'autre que moi ne risque d'y laisser une main.

*   *   *

Mon histoire est très canadienne, et très québécoise. Canadienne pour l'investissement de nos deux langues officielles. Québécoise, avant tout, comme ma terre d'accueil, comme mon amour du français.

*   *   *

Les témoins sont morts, les preuves éparpillées. D'ailleurs, elles ne prouveraient rien.

Pas de chronologie, pas d'ordre. Comme je n'ai presque pas pris de notes, au fil des ans, tout est reconstruction. Trous dans la mémoire, trous dans la filiation. J'ai fait trop de *reset*.

Je souffre de mon manque de documents. Je souffre de mon manque de souvenirs. Je lis une entrevue avec une femme qui prépare un livre sur sa relation avec sa mère et qui énumère avec fierté la quantité d'*original source material* qu'elle possède : un journal intime tenu toute sa vie, des chemises remplies de lettres échangées, des notes copieuses, prises durant les dernières années de vie de sa mère.

Moi, j'ai les mains vides, ou presque. Mais alors je

me dis que ces lettres non plus ne disent pas la vérité, que ces journaux intimes (j'en ai quand même quelques-uns dans ma manche, moi aussi) ne disent pas la vérité, qu'il n'y a pas de *source material* qui vaille, à peine s'il y a une source. Le cierge mortuaire de ma mère ne dit rien sur ma mère.

La mémoire ment. Les mémoires aussi. Je remonte aux débuts, avec mes mots et ma lecture de maintenant. Une fois de plus, je me réinvente.

Je dirai ce qui vit en moi, ce qui a perduré toutes ces années. Ce qui survit en moi de cette jeune fille maigre et obstinée, de ce mélo pourtant sincère, des haines et des drames et des flammes d'alors. La vérité est là, ou n'est pas.

*   *   *

J'ai grandi avec une seule langue, l'anglais, mais elle ne m'était pas naturelle. J'ai quitté Kitchener, ma ville unilingue qui avait autrefois été bilingue, pour vivre dans une autre ville unilingue, Québec. J'ai laissé derrière ma famille, mon nom, ma ville et ma langue, j'ai jeté l'anglais, j'ai arraché ma peau pour être écorchée, terrifiée, renouvelée, comblée.

J'ai enterré l'anglais pendant plusieurs années. Ceux qui m'ont connue alors me parlent d'un rejet radical, plus catégorique que dans mon souvenir de femme apaisée. Aujourd'hui, je vis dans une ville bilingue – dans les faits, sinon officiellement – et multilingue, j'ai des enfants bilingues depuis leur premier souffle, et une bonne partie de mon travail repose sur le bilinguisme : traduction littéraire, interprétariat.

Je ne peux pas, aujourd'hui, nommer la langue dans laquelle je pense : je danse entre les trois que je possède, ou qui me possèdent. Pour moi, une bonne journée est une journée au cours de laquelle l'anglais, le français et l'espagnol se croisent dans mes lectures, mon écriture, mes échanges électroniques et mes conversations. Les va-et-vient, les traversées, les ouvertures.

*　　*　　*

Mon tempérament me propulse vers l'avant, non vers l'arrière. Je ne suis pas la femme de Loth, je veux avancer, toujours avancer, et longuement j'ai tout brûlé à mesure, pour que derrière il n'y ait rien à voir.

*　　*　　*

Cette histoire aurait été différente si je l'avais écrite il y a dix ou même cinq ans. Elle aurait été seulement la mienne : ma douleur, ma volonté, mon triomphe, mon voyage de l'anglais au français. Et là bat le cœur de mon histoire. Mais il y a beaucoup plus.

Avec le recul, je vois le long chemin que j'ai parcouru. Mais je vois aussi ce que je ne voulais pas voir quand j'étais jeune, et qui me semble maintenant inévitable et même doux : ce qui, depuis le début, était écrit en moi, sur ma peau et dans mon ventre, dans ma voix, dans mes gènes, dans l'histoire familiale et dans celle de ma ville d'origine, dans notre classe sociale et notre origine ethnique. Ce qui n'a jamais changé, malgré moi et, dans certains cas, pour mon bien.

De l'anglais au français, voilà mon histoire telle que je la résumais avant. « Comment je suis devenue francophone » est le titre d'une nouvelle publiée au tournant du millénaire, où j'ai raconté pour la première fois, en quelques pages et en cachant encore beaucoup de choses, le travail et la jubilation de cette mue. Je me souviens d'avoir écrit toute la journée, fiévreuse, ravie. J'ai longtemps vu ma vie comme je la décris dans cette nouvelle : duelle, binaire, une histoire entre, autour de, pour, contre deux langues. Puis tout s'est encore compliqué.

Avec la mort de ma petite sœur Cari, le 24 mai 2010, ma vie a basculé. Une langue perdue, l'espagnol, est revenue.

Après une visite à Berlin, en juillet 2016, une dernière langue, l'allemand, qui est aussi la toute première, une langue qui m'échappe presque totalement mais qui me constitue, est apparue sur l'image.

Ma vie est donc la somme de quatre langues, trois que je connais, l'autre dont j'ignore presque tout.

C'est une longue histoire, après tout. Et me voici sur le seuil.

Au café Barbieri

Seule une lutte de tous les instants m'a permis d'abou-
tir ici. Mais ici, c'est où ?

*   *   *

Je suis à Madrid, au café Barbieri, par une journée
ensoleillée de janvier 2018.

En face de moi, un immense miroir ancien – le Barbieri a été fondé en 1902 – va du milieu du mur au haut
plafond bordé de larges moulures ornées de profils
romains et de fleurs. J'y suis reflétée toute petite et tout
en bas, à peine visible : que ma tête et la naissance de
mes épaules. J'occupe peut-être un millième de l'image,
mais je n'arriverai jamais à m'en effacer.

Derrière moi est placé un miroir identique : je vois
neuf ou dix fois son cadre doré, finement ouvragé, dans
la glace de devant, et la rencontre des deux crée un long
passage de colonnes formant un couloir, chaque fois un
peu plus décalé, qui mène très loin, au-delà des regards.
Un palais fantôme. La glace est tavelée, l'image impar-
faite. De chaque côté, une haute fenêtre. Le miroir
tourne le dos à la rue, mais il la reflète.

Trois jeunes filles rieuses apparaissent dans la fenêtre de droite, disparaissent et, avec une seconde de décalage, continuent dans le miroir devant moi, puis dans la deuxième fenêtre : réalité, reflet, réalité. Chacune est dédoublée, et il y a une fraction de seconde où on voit les passantes dans la fenêtre et dans la glace en même temps.

Deux miroirs, et le monde est démultiplié. Je ne me lasse pas de regarder.

Une grosse femme en manteau de fourrure. Un couple qui se dispute. Un homme chargé d'un sac de cuir immense, ballon rempli de son linge sale de toute l'année, peut-être.

Un miroir permet à l'autre de refléter ce qu'il ne voit pas. C'est le jeu des deux qui provoque la profondeur, l'enfilade de reflets. Cette allée de colonnes prolongées à l'infini n'existe pas. Pourtant, j'ai envie d'arpenter ce couloir. Des vérités, j'en ai la conviction, m'attendraient tout au fond.

Un homme passe en tenant à deux mains, la mine concentrée, six ou sept roues de vélo, un jongleur au repos. Puis un autre qui transporte, je ne peux pas en croire ma chance, un grand miroir oblong, comme sur une photo de Vivian Maier.

Je voudrais pouvoir, bien installée sur la banquette rouge du café Barbieri, me voir défiler dans la rue comme tous ces passants, démultipliée, réelle et reflétée en même temps. Ce ne serait possible qu'au prix d'un truquage.

Ce livre, je le vois, c'est mon truquage – ce qui ne

l'empêche pas d'être aussi ma vérité – et c'est pour cette raison que je l'écris : pour me voir, pour la voir, elle, cette petite fille, cette jeune femme dont le travail patient et frénétique m'a conduite jusqu'ici.

Reflet, réalité, reflet, réalité. Chaque jour, je m'installe devant ce miroir, j'emprunte de longs couloirs solitaires, j'entre plus avant dans mon passé.

Je pensais me placer devant le miroir intérieur et écrire. Mais je faisais erreur. Je suis le reflet.

Mais je suis aussi le miroir. Vivian Maier était au courant.

Je passais par là et j'ai vu.

*   *   *

Je me tiens au bord de cette histoire en tremblant. Une mer grise, froide, devant moi. Des années derrière. Quelque chose me pousse, quelque chose me retient.

Je ne sais pas par où commencer.

*   *   *

Ce livre est un précipice. Un pas en avant, un autre, je ne sais pas où je vais.

Il y a des années que j'hésite au bord de l'écriture et, cette fois, le moment est venu. J'ai trois semaines seule, ici, à Madrid, pour écrire sans autre frein que mes propres résistances.

Chaque matin, je me lève, je me rends au café Barbieri, j'écris.

*　　*　　*

Photographe dans une chambre noire à l'ancienne, je tire des images oubliées vers la lumière.

Qui est ce moi, est-ce que *je* existe? Quel rapport entre ce visage dans le miroir et moi? Entre cette ombre projetée sur le sol et moi?

J'écris ce livre pour raconter mon triomphe. Comment je me suis réinventée, comment je suis née pour la deuxième puis, beaucoup plus tard, pour la troisième fois. Quand j'ai eu l'idée de l'écrire, il y a près de vingt ans, c'était mon seul but. J'ai changé.

J'écris ce livre pour témoigner.

J'écris ce livre en hommage aux langues et à la littérature.

J'écris ce livre contre la mort, pour mes morts. Pour ma mère et ma sœur – et non contre elles, comme je l'aurais fait autrefois. Pour elles, malgré nos déchirements, même si je n'ai pas pu le commencer de leur vivant. Mon père ne l'aurait pas lu. Elles, peut-être (à supposer que soit levée la barrière de la langue, bien sûr – mais, évidemment, c'est pour les empêcher de me lire que je me suis mise à écrire en français).

J'écris ce livre pour mes enfants. Sans savoir s'ils vont aimer cette image de leur mère.

J'écris ce livre pour moi.

J'écris ce livre parce que l'histoire de ma ville d'origine, que je ne découvre que maintenant, est aussi mon histoire.

J'écris ce livre parce que je vieillis.
J'écris ce livre pour ne pas vieillir.

*   *   *

Première hésitation qui m'a longuement paralysée : dans quelle langue écrire ?

Mon fils me dit : *Fais trois parties, en anglais, en français, puis en espagnol, pour décrire comment tu es passée d'une langue à l'autre.*

Ma fille me dit : *Écris-le en anglais pour te réconcilier avec ta langue.*

Au début, je laisse couler, sans décider, je prends ce qui vient. Des fragments sont nés en anglais, beaucoup au début, puis de moins en moins. Et puis, ça devient clair, le français l'emporte, m'emporte. Je me suis si bien traduite vers le français que le livre sur cette traduction s'écrit lui aussi dans cette langue.

*   *   *

Mais la principale difficulté est le silence que je fais planer sur ma langue et mon identité depuis mes vingt-cinq ans. Les gens que j'ai connus après, à moins de devenir très intimes, ne savent rien sur mon passé, mon nom, mes origines. J'ai préféré le placard. Et j'ai pu le choisir justement parce que je n'avais pas d'accent anglais, rien qui me trahissait. (Je prends l'accent du coin automatiquement, comme mon téléphone se met à l'heure locale.)

Ce qui comptait pour moi, c'était de passer pour francophone, c'était de *passer*. Que personne ne sache la vérité, que je trouvais honteuse. Si j'étais allée dans un premier temps à Montréal, ville cosmopolite, au lieu de Québec, presque uniquement francophone, tout aurait peut-être été différent.

Je déteste la réaction qu'ont, après avoir été informées de mes origines, certaines personnes qui me prenaient jusque-là pour une francophone normale : *Je le savais depuis le début que tu étais une Anglaise, ça s'entend, voyons.* (Plus jeune, j'ai brièvement fréquenté un sous-ministre nationaliste qui a été sidéré par la révélation.) Je ne rentre pas bien dans leurs cases.

Et puisque je ne voulais pas révéler ces choses – ma langue, mes origines, mon ancien nom –, j'étais incapable d'écrire ce livre. Mes séances au café Barbieri, devant le miroir qui me reflète et ne me reflète pas, vont me permettre d'y arriver enfin, du moins c'est le pari que je fais.

* * *

Juste avant de partir pour Madrid, j'ai jeté le cierge mortuaire de ma mère.

L'objet – un cylindre de verre contenant un cierge autour duquel on a enroulé une feuille avec sa photo, son nom et ses dates de naissance et de mort – est d'un mauvais goût hallucinant, un produit industriel faussement personnalisé. Je l'ai haï dès le premier regard et pourtant, superstitieuse, je l'ai rangé dans le buffet de la salle à manger.

Chaque fois que j'ouvrais la porte, le faux visage de ma mère, sur une photo qui ne lui ressemblait pas, avec une petite grimace qui n'était pas son vrai, son divin sourire, me faisait sursauter. Ma mère était enfermée dans ce buffet, figée sur cette photo, plus morte que morte.

Un matin, j'ai pris la photo et je l'ai mise au recyclage. Je l'ai embrassée avant, malgré le manque de ressemblance, et j'ai murmuré des mots pour ma mère seule. J'ai d'autres copies de cette photo, et d'autres images bien meilleures.

Ma mère n'est dans aucun objet qu'elle a touché et dont j'ai conservé un certain nombre – je suis incapable de jeter la brosse qui emprisonne toujours quelques-uns de ses cheveux, la moindre trace de son écriture –, elle n'est pas dans son cierge mortuaire, elle n'est pas dans ses cendres enterrées dans un cimetière situé à quelques minutes de marche de la maison de sa mère. Des reflets, des fragments, des échos d'elle vivent en d'autres, en moi surtout.

C'était deux jours avant de prendre l'avion pour Madrid, où j'ai commencé de nouveau, j'espère pour la dernière fois, ce livre tant rêvé sur ma vie dans les langues.

* * *

Parfois, la descente est plus ardue que la montée. J'ai longuement hésité sur le seuil de mon étrange histoire.

Je ne sais pas par où commencer. Je commence quand même.

Ici, au café Barbieri, mes doigts sur le clavier dansent, les heures filent, rondes. Devant le grand miroir où il est facile de faire abstraction de mon minuscule reflet, je suis libre, je suis heureuse, je me laisse aller enfin.

Changer de langue maternelle

On trouve une porte si le besoin de sortir est assez criant. À défaut de porte, on fait sauter le mur.

Quand ai-je pris conscience que je n'étais pas chez moi chez moi? Ni dans *ma* ville, ni dans *ma* peau, ni dans *ma* langue? (Italiques de l'incrédulité : je ne voulais posséder aucune de ces choses.) Assez tôt en tout cas pour que je ne garde aucun souvenir net de l'avant, aucun souvenir de m'être sentie tissée, lovée quelque part. Peut-être mon mépris des enracinés n'était-il qu'une forme tapageuse d'envie.

* * *

Étrange, au fond, qu'une petite fille ressente déjà la nécessité d'une autre vie. Sache déjà que celle qu'elle a n'est pas la bonne.

* * *

Sud de l'Ontario, rentrée scolaire de la cinquième année. Mon ailleurs, mon monde rêvé est sur le point d'apparaître. Année neuve, chaussures neuves, cahiers et crayons neufs, même vieil ennui déjà. On nous annonce une nouveauté : *Today you're going to start French!*

No way, man! Rires, huées, les garçons qui dominent la classe ont tranché d'emblée. *Who needs French? French is for frogs! French is for faggots! French is for fruits!* Front uni des unilingues, bras croisés, esprit fermé, mépris ouvert.

Je ne dis rien, les filles, dans ces années-là, ne disaient rien, elles se laissaient faire. (Une vingtaine d'années plus tard, le garçon qui avait ri le plus fort, devenu directeur de l'usine fondée par son père, sera accusé de viol par l'une de ses employées, et personne ne sera surpris de l'accusation, ni de l'acquittement.) Toute la journée, tous les jours, j'attends la récréation pour aller dans le petit boisé de la cour d'école avec Sonja. On nous a séparées à cause des mots qu'on se passait sans arrêt et, pendant le cours, au lieu d'écouter la leçon, je regarde le fond de sa tête avec la raie toute droite, ses longs cheveux nattés et le col de sa blouse blanche. (Dans quelques années, elle s'habillera en jeune homme, crinière au vent, et nous serons amoureuses du rock et d'Oscar Wilde, et l'une de l'autre, même si nous ne nous toucherons jamais.)

La porte s'ouvre, des trompettes inaudibles sonnent, un chœur céleste entonne des alléluias muets, à toute une vie de distance je vois une petite fille maigre aux grosses lunettes se tourner vers la lumière. Je suis Roméo une seconde avant de lever les yeux sur le balcon, mais je ne le sais pas encore. Ma vraie vie s'apprête à commencer (jusque-là, c'est une fausse vie, je le sentais déjà confusément), mais je ne le sais pas encore.

I'll leave you with Mrs. Murray, dit l'enseignant avant de s'éclipser.

Elle n'entre pas dans la classe à contrecœur, avec la lassitude hargneuse des autres enseignants : elle fait irruption. Elle est menue, potelée, rieuse, rayonnante, avec un halo de cheveux noirs frisés, un tailleur bleu clair, des ballerines. Un pas dansant, un air théâtral, un visage mobile, des mains qui bougent sans cesse. Voilier qui fend les flots, elle avance, une grande feuille cartonnée sous le bras.

Bonjour, mesdemoiselles, bonjour, messieurs. Je m'appelle Mme Murray, dit-elle avec une révérence comique.

Ma fée marraine, avec mon invitation pour le bal. Elle écrit au tableau les mots qu'elle vient de prononcer – je ne les avais jamais entendus, et pourtant, j'ai compris –, sans redouter les boulettes de papier qu'on lance aux suppléants et aux nouveaux. À ma surprise, les murmures se sont tus.

Elle soulève son carton et je les vois. Aujourd'hui, à l'autre bout de ma vie, je les vois encore.

Six petits personnages gros et ronds, aussi primaires que les couleurs qui les représentent, sourient de toutes leurs dents anormalement blanches. Et puis la maîtresse se met à parler.

Voilà la famille Leduc. Voilà M. Leduc. Voilà Mme Leduc. Et voilà Jacques, Suzette, Henri et Marie-Claire. Et voilà Pitou. Pitou est le chien d'Henri.

Fiat lux, aurais-je pu traduire. Et ma lumière fut.

Déjà, les cancres se sont remis à ricaner, à s'ennuyer. Voilàpitou (j'entends son nom ainsi), bien que mignon, n'intéresse personne. Henri et ses sœurs et frère défavorisés, les sans-chien, encore moins.

En moi, un monde s'ouvrait.

Clic, clic, au lieu de chiffres, des mots s'alignaient, ouvraient le cadenas à combinaison qui fermait la porte de mon avenir. Clic, clic, le monde tournait soudain sur un axe nouveau, les plaques tectoniques se déplaçaient, les planètes s'arrêtaient dans leur course pour regarder une petite fille comprendre, à dix ans, le sens de sa vie.

Je ne savais pas que Pitou était le nom de chien le plus banal qui soit. Pour moi, il était le premier chien français, le premier chien de ma nouvelle vie.

Il y avait d'autres sons, d'autres sens. Je pourrais dire autre chose, être *autre*, ailleurs.

Le vrai monde était un verger clôturé et on m'avait donné une catapulte. Le vrai monde était une étoile éloignée et on m'avait donné une fusée.

*   *   *

Le français. Ma première lumière, mon premier amour.

Jamais le français ne m'a semblé une langue étrangère : il était vrai, profond, j'y étais chez moi, j'y étais moi.

Il était près de moi, il était la porte vers un ailleurs.

*   *   *

Qu'est-ce qui vient d'abord : le besoin ou l'objet qui le comble ? La question ou la réponse ? Pourquoi avais-je besoin d'une langue sans le savoir, besoin de quelque chose sans savoir quoi et même sans mesurer au juste la nature et la vaste étendue de ce besoin ?

On parle de *true beginner*, et je pense toujours à *true believer*. Je croyais ceci : que la langue me renouvellerait, que ses eaux me feraient neuve, lumineux baptême d'athée. J'ai eu raison de le croire.

Le désir surgit un jour dans toute son urgente clarté, comme un coup de foudre – *oui, c'est ça*. Mais tous ceux qui ont appris une langue étrangère, même dans ses rudiments, savent à quel point il faut travailler. Le chemin est long, et pourtant je devais l'emprunter, c'était l'unique chemin où je pourrais non pas me trouver – je n'existais pas encore –, mais plutôt me construire.

Une langue a une consistance, un corps. Je cherchais un foyer, un chez-moi, sans le savoir encore. C'est dans le français que je l'ai découvert, par hasard et par miracle. Avant de l'avoir cherché systématiquement – je n'en avais pas encore les moyens –, mais après avoir pris conscience du besoin et de la douleur qui l'accompagnait. Autrement, et cette pensée me fait frémir, je n'aurais peut-être pas été sauvée, transportée, renouvelée par les Leduc et la langue française, je n'aurais peut-être jamais trouvé de sortie.

Mais j'ai eu cette chance, j'ai fait cette découverte. Personne que je connaissais ne parlait français, c'était une langue pure, rattachée très tôt à la liberté, à la littérature. À une voix neuve qui m'appartenait en propre. Un champ enneigé sans une seule empreinte de pas.

Au début, on progresse à pas de géant, on prend son envol : on apprend à dire les chiffres, les jours de la semaine, *je suis, je veux, je vais…* On passe de rien du tout à de minuscules phrases toutes faites, la petite monnaie de la langue, mais comme on avait les mains et les poches vides, on se sent déjà riche.

Tout est neuf, tout est inaugural. *Le chien* est et n'est pas *the dog* ou *el perro* ou *das Hund,* et on n'est pas la même selon le mot qu'on prend pour le nommer. Les mots renaissent, les choses se renouvellent du fait d'avoir un autre nom. Et moi aussi, du coup, j'étais neuve.

J'ai avalé les Leduc, les dérisoires petites scènes de leur vie : la table qu'on met *(une, deux, trois, quatre fourchettes, un, deux, trois, quatre couteaux),* les mauvais coups de Pitou *(Pitou, où est le rôti de bœuf ?)* et des enfants *(Henri a les oreilles rouges,* pour dire qu'il rougit). Je les ai accompagnés au garage, chez le dentiste, chez le boucher, à la campagne *(Henri, est-ce que tu vois le lac ?)* J'étais lancée, je volais déjà.

*　　*　　*

Au début, ma mère se réjouissait de mes progrès. Elle disait : *I was good at French, I still remember some things.* Puis elle comptait jusqu'à cinq avant d'ajouter : *Voilà le tableau noir.* Et encore : *La plume de ma tante is full of ink.* Puis elle secouait la tête, fière de sa mémoire, honteuse de s'être interrompue en si bon chemin.

Les gens de ma génération, nés où je suis née et qui, en général, ne sont pas allés beaucoup plus loin que ma mère en français, citent, comme elle, une petite phrase ou deux. (*Tweet* d'un contemporain : « "Pitou, Pitou, donne-moi le poulet" *oh the stupid crap from grade 7 you think of when just sitting around.* ») Ils rient, sans regretter d'avoir oublié tout le reste.

À Kitchener, le français, à l'image sans doute de toutes les langues autres que l'anglais, était jugé ennuyeux, efféminé et, bien sûr, bizarre. À part les Leduc, nos seules représentations étaient Pépé le Pew, la mouffette agresseur sexuel, et Blacque Jacque Shellacque, ridicule et inefficace *(ze rabbit, she is mine !). Ils font tout à l'envers, ces gens-là, ils disent* the car green *et non* the green car, *quels imbéciles !* Si quelqu'un parlait une autre langue, on ne lui en tenait pas trop rigueur (du moment qu'il la gardait pour lui), mais on n'y voyait ni une richesse ni une beauté. Se féliciter de son ignorance m'a toujours semblé une attitude dangereuse.

Quel gâchis, tous ces non-apprentissages, quelle honte dans un pays officiellement bilingue. Comment se fait-il que les cours de langue soient aussi lamentables ? Pourquoi donner aux jeunes éponges une eau aussi imbuvable ? Comment faire pour aller au-delà de Pitou et des plumes, pleines d'encre ou non ? Les Leduc étaient risibles, bien sûr, le programme était mauvais, et les dialogues, dérisoires. Je m'y suis accrochée quand même. Affamée, on mangera des insectes, des déchets, ses propres parents. Son propre bras.

*   *   *

Le monde se trouvait derrière une porte verrouillée, et Mme Murray souriait et me tendait la clé. Personne d'autre ne la voulait, cette clé. Personne d'autre n'avait vu la porte.

Toutes les clés ne sont pas faites de métal. Une clé, pour sa taille, est très puissante. Une petite fille aussi.

Le nom sale

Mon nom n'est pas le nom de mon père.

*   *   *

Mon nom à moi, je l'ai trouvé dans l'annuaire téléphonique de Québec, un jour de l'été 1983.

Du plus loin que je me souvienne, j'ai eu honte de mon nom de naissance, ce nom qu'on m'avait imposé. La meilleure décision que j'aie prise dans ma vie a été d'en changer, si on peut parler de *décision* pour désigner une nécessité aussi vitale. Je savais qu'il y avait eu erreur sur la personne, que mon nom n'était pas le bon. La méprise engageait tout mon être, me gâchait l'existence.

Son nom : ce sont les premiers mots qu'on apprend à écrire, les premiers mots qu'on inscrit sur nous. Un tatouage existentiel, une marque au fer rouge. On marque sa propriété, sa femme, ses enfants, ses esclaves.

Je tenais à être mon propre texte.

Nom neuf, peau neuve. Mort et renaissance, je cherchais un nouveau titre pour le livre de ma vie.

*   *   *

Ma cousine, Janet, qui a mon âge, me dit : *J'aimais notre nom, il était original, personne ne le portait. J'ai regretté de le perdre en prenant celui de mon mari.* Elle dit aussi : *Mon nom, ce n'est pas moi. Je suis moi-même, peu importe comment on m'appelle.*

Moi, avec notre nom, je ne pouvais être personne. Je ne me décidais pas à le prononcer, il me restait coincé dans la gorge comme une arête de poisson et me coupait la respiration. C'est de cet étouffement, de ce silence qu'est né le reste.

J'ai sauté de l'arbre familial, feuille détachée, lignée brisée. Je me suis découpée de ma photo de famille pour y laisser un trou.

*   *   *

Extrait des notes du café Barbieri :

« Aujourd'hui, le 30 janvier 2018, j'ai surmonté la honte de mon nom de famille ancien, que j'ai caché, tu, qui m'a fait souffrir, et qui – même des décennies après que je l'ai eu laissé derrière – ne franchissait pas mes lèvres sans douleur et sans une honte à la fois vague et très, très précise. »

C'est cette honte qui me retenait chaque fois que je pensais à écrire ce livre. Je ne voulais pas dire ce nom. Je ne pouvais pas le révéler, mais je ne pouvais pas raconter mon histoire sans le faire.

Le 30 janvier 2018, devant le grand miroir du café Barbieri, je l'ai écrit enfin.

« Farnham. »

Voilà, ça m'a tout pris. Toute ma vie pour écrire ce mot. Qui disait ma défaite et qui proclame maintenant ma victoire. Parce que je l'ai laissé derrière. Parce qu'enfin je peux l'écrire comme n'importe quel autre nom, ou presque, pour ce qu'il est : le nom d'une autre qui, depuis longtemps, n'est plus moi.

*   *   *

What's in a name? Tout, rien, notre nom, c'est nous. Nous faisons corps avec lui, et si on l'écorche, nous saignons. La plupart des gens trouvent que leur nom sonne bien, qu'il leur correspond, en tirent un orgueil obscur. On ne souhaite pas se séparer de ses ongles, de son foie.

What's in a name? C'est le nom qui tue Roméo et Juliette. Le nom trace une frontière entre « nous » et « les autres », l'ennemi, l'extérieur, l'inférieur. Les étrangers ont des « noms à coucher dehors », et c'est souvent ce qui leur arrive. Si vous appartenez à un endroit, on connaît votre nom déjà, on sait l'écrire, il y a une place pour vous.

What's in a name? Un nom, c'est une étiquette. J'ai décollé le mien.

What's in a name? Le nom dit : fils de, fille de. Je ne voulais être fille de personne. Abandonner père et mère.

What's in a name? Ce qu'on y verse. Pour moi, de la honte et de la douleur.

What is a name? Une enveloppe protectrice, une

peau-cocon qui nous fait appartenir. Pour moi, une tunique de feu.

Mon nom propre était sale. Contaminé.

*   *   *

Peu de gens demandent à changer de nom, mais, pour cette petite minorité, c'est une question de vie ou de mort.

On change de nom, ou du moins on adopte un faux nom, pour fuir la justice. Moi, je cherchais le vrai nom qui me rendrait justice enfin. On change de nom parce que le nôtre est ridicule : un site de généalogie français propose une kyrielle de Cocu et Chameau, Putain, Boudin et Lecul. Le mien, mille fois plus normal, me pesait tout autant. On change de nom par peur de l'étoile jaune ou de la liste noire, parce qu'on est las de se faire refuser appartements et emplois. On change de nom pour s'intégrer. Cette dernière raison, l'envie de pouvoir dire *enfin chez moi*, s'est ajoutée aux autres quand je suis arrivée au Québec.

Pour les jeunes filles de mon époque – et encore aujourd'hui à beaucoup d'endroits –, il y avait une façon de changer de nom sans faire d'histoires. Au primaire déjà, les autres filles dessinaient des cœurs dans lesquels elles écrivaient : *Mr. and Mrs.*, suivi du nom du bien-aimé du jour ou de la semaine. Cette solution n'était pas pour moi. À quinze ans, j'étais un peu trop folle des garçons, mais mon avenir n'appartenait qu'à moi. Toutes mes amies, les sages comme les rebelles, voulaient des enfants. Moi, non. Me créer moi-même, ce serait déjà assez long, assez dur.

Ce que je n'aurais voulu faire pour aucun homme, je l'ai fait pour moi.

*   *   *

Mon premier sentiment conscient – du moins dans la reconstruction que je fais aujourd'hui de ma vie – a été le besoin de fuir.

Ma vie a pu changer parce que j'ai laissé derrière le nom si lourd, si laid. Le boulet que je traînais, l'épingle qui me fixait au carton, le clou dans mon jeune cercueil.

L'idée m'est venue très tôt, l'exécution a dû attendre. La mise à mort de mon vieux moi est venue tard, j'avais déjà vingt-quatre ans en commençant les démarches. J'en rêvais depuis longtemps pourtant.

L'appel des noms en classe au primaire, mon enfer. Sept lettres écarlates, infâmes.

Farnham, farm ham, fart ham, oink oink, hey little piggy!

Victime-née, cible toute désignée, je baisse la tête. Chaque fois qu'on appelle ce nom – je ne peux pas dire *mon nom,* je n'ai jamais senti qu'il était à moi –, je suis obligée de répondre *c'est moi.* Eh non : ce n'est pas moi. Il y a une distance infinie entre lui et moi, et pourtant, aux yeux des autres, nous sommes le recto verso d'une même feuille de papier.

Plus je tarderai à répondre, plus ils riront. *Elle sait*

même pas son nom, la quat'z'yeux! Et les variantes reprendront.

Four eyes, farm ham, far tits, ça revient chaque jour, il faudrait ne pas s'en faire. Je m'en fais.

Pourquoi est-ce moi qu'on tourmente tout le jour, tous les jours? Le nom n'était pas si bizarre, au fond – il y a bien pire – et, plus tard, on laissera ma sœur tranquille. Je vois maintenant que le nom n'était que le signe extérieur, la marque d'une faute ou d'une faille qui était en moi depuis toujours. Les jeunes sont doués pour saisir la différence, même intérieure, même secrète, la faiblesse les excite, les transforme en meute. Là d'où je viens, *tu es différente* n'avait rien d'un compliment.

J'avais tout pour déplaire. J'étais petite, maladroite, asthmatique, timide et affublée de grosses lunettes (à l'époque, même pas un enfant par classe n'en portait), mal habillée et mal coiffée. En plus de mes disgrâces physiques, j'étais une première de classe, une fille intelligente, en théorie, mais pas assez futée pour le cacher.

Je vivais tout comme une fatalité : le lieu où j'étais née, mon nom, ma douleur quasi permanente. La honte brûle. Surtout, peut-être, celle qui n'a pas à exister, la honte pour une chose aussi arbitraire que le nom.

Un jour, me disais-je, j'y échapperai.

*   *   *

Aujourd'hui, je peux faire des recherches sur ce nom, comme sur tout autre sujet. Avant, je ne voulais que faire comme s'il n'avait jamais existé.

C'est un patronyme qui remonte aux temps médié-vaux, rattaché à plusieurs localités éparpillées dans toute l'Angleterre. La plus ancienne, dans le Surrey, était à l'origine un village saxon, et on y a déterré des habitations datant de 550. Entre ses graphies, on trouve Fern Hamm, Farneham, Ferneham, Phernham, Fearnhamme, Varnham et Varnum. Un certain Phineas Varnum a ouvert une forge au centre de ce qui deviendrait la ville de Kitchener, en 1830.

Farn vient de *fern*, « fougère », et *Hamm* signifie « peuplement », « village » ou « pré ». Le tout désigne *a low-lying meadow where ferns grow,* un pré de faible élévation où poussent des fougères. Bref, comme la plupart des choses, ce nom n'est ni bon ni mauvais, ni glorieux ni honteux, c'est un nom comme un autre, il est même plutôt joli. Si j'avais su, si j'avais pu le dire aux garçons de mon école, ma vie aurait-elle été différente ?

Farnham est aussi le nom d'une petite ville du Québec, fondée par des loyalistes à la toute fin du XVIIIe siècle. Durant la Deuxième Guerre mondiale, son camp d'entraînement reçoit une partie des quelque trente-quatre mille prisonniers de guerre allemands détenus au Canada, dans ce cas des militaires, dont de nombreux pilotes de la Luftwaffe, qui y ont fait régner la terreur. Le maire, de 2003 à 2013, s'appelait Josef Hüsler. Plus je creuse, plus je déterre de liens avec l'Allemagne, ma patrie d'origine lointaine.

*   *   *

En arrivant à Québec en 1981 pour faire mon doctorat, je découvre un petit monde douillet, mais marqué par l'esprit de clocher, une ville francophone à quatre-vingt-dix-huit ou quatre-vingt-dix-neuf pour cent. Je ne détonnais ni par mon apparence ni par mon accent, on m'acceptait sans problème jusqu'au moment d'apprendre mon nom de famille. Et alors tous entonnaient le même refrain : *D'où tu viens, toi ? Et quand est-ce que tu y retournes ?* La première question était bienveillante, la seconde déjà moins. Informés que je n'allais nulle part, que j'étais arrivée, les curieux étaient incrédules et plutôt méfiants.

Quinze mois à peine avaient passé depuis la profonde douleur du référendum du 20 mai 1980. Après cette défaite que beaucoup vivent dans leurs tripes comme le prolongement direct de celle des plaines d'Abraham, on ne porte pas dans son cœur les Anglais, l'ennemi héréditaire. Et voilà qu'on en a une sous les yeux, rédigeant une thèse de doctorat sur la littérature québécoise, un spécimen qu'on avait d'abord pris pour l'une des nôtres, pourtant louve perfide dans la bergerie de notre pure laine. Personne ne m'a maltraitée, mais j'ai souvent senti une froideur, une méfiance, j'ai été la cible de remarques blessantes, de petites piques. J'avais une nouvelle raison de détester mon nom.

La langue est liée à une terre. Je me suis déracinée plus d'une fois. Aujourd'hui, l'idée des racines n'a pas pour moi de magie, mais je souhaitais désespérément m'enraciner à Québec. À cause de mon nom, on me le refusait.

La langue maternelle correspond le plus souvent à l'ethnicité, c'est un certificat de légitimité, un sceau de conformité. Ceux qui parlent comme nous, avec le bon accent, les mots familiers, sont les nôtres. Ce marqueur-là, je l'avais.

Il en existe un autre : le nom. Le nom est un talisman, un sauf-conduit, un badge d'appartenance. Ce marqueur-là, je ne l'avais pas.

Qui prend langue prend pays. Qui prend nom prend pays. En 1983, je me décide. J'envoie les documents, demande à m'appeler Lori Israël. Il y a un moment déjà que j'écris ce nom dans les livres que j'achète.

Helen Israel (sans tréma, évidemment), c'était le nom de jeune fille de ma grand-mère paternelle. Je le trouvais élégant, racé, digne de cette femme qui m'appelait « *my little sunshine* », morte quand j'avais onze ans, peu après le moment où j'avais entendu le premier appel de la langue française et avant que je me transforme en cris et furie. C'était une façon de changer de nom, mais sans renier la famille de mon père.

Sans penser à la politique, sans penser que ce nom n'est pas plus « normal » au Québec que l'autre, peut-être moins, je remplis donc les formulaires. Quelques semaines plus tard, je reçois un appel du directeur du service, qui me signale que ce nom me fermera les portes de certains pays, que je passerai ma vie à l'expliquer. *Vous êtes juive ? Je ne crois pas. Changez d'idée, vous allez le regretter,* me dit-il. *Alors, vous accepterez n'importe quel autre nom ? Tout sauf celui-là,* dit-il, *c'est pour votre bien, croyez-moi.*

Fin de matinée, sous le téléphone noir posé au bord de la fenêtre avec vue sur la Citadelle, je prends l'annuaire téléphonique, l'ouvre, le feuillette. (À l'ère d'Internet, j'aurais peut-être choisi un nom différent.) On est à Québec, les noms sont français, voilà ce que je cherche, je veux disparaître. Je trouve. *Saint-Martin ? Lori Saint-Martin, très bien,* dit-il, *je m'en occupe.* En février 1984, je reçois le certificat. Le sentiment d'avoir gagné.

En prenant un nom issu de la société québécoise, je le vois maintenant, je me mariais avec elle. J'avais enfin une identité personnelle, mais aussi un chez-moi. Comme tant d'immigrants qui avaient changé de nom ou naturalisé le leur, je m'intégrais.

Ma vraie vie peut commencer. J'ai déjà publié quelques articles avec mon vieux nom ; je les raie de mon CV. C'est une autre qui a signé ces textes, je les laisse aller.

*   *   *

J'appelle ma mère, je lui dis que c'est très difficile de vivre avec un nom anglais à Québec : on ne m'accepte pas, je vais en changer. Ce n'est pas la vraie raison, mais elle nous évite de parler des vraies. De revenir sur notre passé, notre passif commun. Ainsi, on peut se dire que le problème n'est pas entre mes parents et moi, mais entre le monde et moi.

Dans un premier temps, elle se rebiffe quand même : *Jamais je ne vais utiliser ce nom, tu en as déjà un et c'est pour la vie.* Je lui rappelle qu'en Ontario les femmes changent de nom en se mariant et qu'on trouve ça normal. Alors pourquoi pas un autre, choisi par moi et qui a un sens à mes yeux ?

Un silence au bout du fil. Une mère frappée au cœur par l'ingratitude de sa première-née réfléchit. Une fille frappée au cœur par sa propre dureté attend.

Dit comme ça, répond enfin cette femme d'imagination, *c'est rempli de bon sens.*

Plus tard, elle me dira : *Tu sais que la région de Kitchener est pleine de Martin, tu pensais à ça quand tu as choisi ce nom ?* Je réponds que oui, bien sûr, que je voulais garder un lien. Mensonge, vérité. Qui sait ce qui se joue en nous à l'heure des choix ? Comment dire pourquoi un nom s'impose à nous au détriment de tous les autres ?

Mais Martin est également le nom de famille le plus porté en France. Et si j'ai choisi le nom d'un saint, moi qui ne crois à aucun dieu, c'était sûrement aussi pour me donner un passé québécois, un nouvel ancrage. À la fois partir et arriver quelque part. Mourir et renaître. Prendre pays.

Saint-Martin, le nom qui commémorait ma renaissance, le nom qui m'a faite absolument singulière – personne, dans ce monde (sauf ma fille, Anna, mais ce sera beaucoup plus tard), ne partageait avec moi à la fois sang et nom –, me rattachait en même temps à une nouvelle langue, une nouvelle communauté. Sans, ma mère l'avait bien vu, couper aussi radicalement que je le pensais le lien avec mon passé. Il en restera toujours quelque chose.

*   *   *

Le changement de nom a marqué le début de ma vie réelle. Sans ce geste, je n'aurais pas écrit, pas publié, pas été moi-même. Mes parents ont compris, un jour, que mon prénom, inchangé, suffisait et qu'ils pouvaient encore m'aimer.

Aujourd'hui, je suis convaincue qu'on m'aurait maltraitée même avec un autre nom ; et peu importe celui que j'aurais eu, j'aurais voulu en changer. Pour me redonner naissance.

Longtemps, ce nom a signifié la honte.

Maintenant il veut dire « fougères et eau ». « Vallées alluviales. »

Il veut dire « je peux enfin écrire ce livre ».

Scènes d'une adolescence

Aux grands maux les grands remèdes. La langue apporte la guérison.

* * *

Devant moi, sur la table en marbre du café Barbieri de Madrid, j'ai étalé quatre cahiers Hilroy bleus, portant la mention *The Spiral Notebook, No. 4038, Narrow Ruled, Contains Recycled De-inked Fibre*. (Avec un choc, je réalise qu'ils ne sont pas bilingues. Ça me gêne. Ceux d'aujourd'hui le sont.)

Ils sont laids, ou plutôt quelconques, comme je me voyais alors, d'un bleu terne, il faut du talent pour affadir autant le bleu. Ils sont tachés, salis, dans un cas le fil spiralé s'est partiellement détaché et fait une petite queue de cochon tirebouchonnée. (D'où peut-être mon obsession pour les beaux cahiers, j'en rapporte de chaque voyage, je dois en avoir une cinquantaine d'avance, comme si j'allais vivre toujours.)

Les cahiers sont des miroirs, avant même qu'on y écrive. À plus forte raison ces quatre *Hilroy Spiral Notebook, No. 4038, Narrow Ruled* bleu terne, bien alignés sur la table du café Barbieri.

Je tremble à leur vue. Je les regarde du coin de l'œil. J'en range trois dans mon sac. Je laisse sur la table celui au bout de fil qui pend, comme un signe qu'il est brisé, ou qu'il a quelque chose en plus, comme un membre fantôme. Mais, bien sûr, le fantôme c'est moi.

Je laisse celui-là sur la table sans y toucher et je me mets à écrire. Les mots coulent, mais, au bout d'un moment, je reviens au cahier. J'ose l'ouvrir.

Il commence le 29 octobre 1974, quand j'avais quinze ans, presque seize. À partir de mars 1976, j'ai divisé chaque page en deux par un gros trait à l'encre et inscrit deux dates pour y noter mon compte rendu de deux jours. Dans la marge, sans titre ni nom d'auteur, j'ai inscrit des extraits de chansons ou de romans : David Bowie, Cat Stevens, Joni Mitchell, T. Rex, Janis Joplin, Patti Smith, Rimbaud, Sylvia Plath, Virginia Woolf, Anna Kavan, mes évangiles d'alors.

Demi-page par demi-page s'étale ma vie, ou quelque chose qui lui ressemble. Moins, bien sûr, tout ce qui est resté hors cadre, enfui, enfoui.

Ces cahiers, les seuls journaux intimes que j'aie tenus, ont survécu à une vingtaine de déménagements et à autant de purges dans mes papiers. Jamais je ne les avais rouverts. Bientôt, me disais-je. Plus tard, un jour. Je me vois les tenir en l'air, au-dessus d'une pile de documents destinés au recyclage. Chaque fois, un ange a retenu ma main. Je n'ai pas sacrifié cette jeune fille dont je gardais les mots sans oser les lire.

Ils sont mon arme secrète, ou mon talon d'Achille.

Je les feuillette. Il y a des pleins, des trous, des jours

qui manquent, des jours vides. Un peu d'encre, quelques gestes de la main et un jour reste ; sinon, il sombre à jamais. Qu'est-ce qui est demeuré hors cadre, à jamais oblitéré et donc oublié, comme assassiné ?

Le cerveau se redessine, du point de vue neurologique, entre treize et dix-huit ans. J'ai une bonne partie de ces années, figées dans ces cahiers. Mon ami Paul S. me dit : *Tu as consacré des décennies à l'étude des écrits des autres, maintenant tu peux être critique littéraire de ta propre vie. Lis-toi et raconte ce que tu vois.*

Je plonge. Je regarde en accéléré le film de la vie de cette jeune fille, qui était ou est ou n'est pas moi. Je me lis en v.o.a., sans sous-titres.

*   *   *

La première année, elle est imbuvable. Complaisante, narcissique, geignarde. Elle est ce qu'elle craint terriblement d'être : convenue, ennuyeuse, *ordinaire*.

Elle est folle des garçons, folle des hommes. Elle ratisse la ville, cherche des regards, des rencontres éclair. Avide de quelqu'un pour remplir son vide, elle court des risques, mais de la façon la plus conventionnelle qui soit.

Pourtant, il y a longtemps qu'on l'a repérée et fichée. *Tu es différente*, chœur des professeurs, des camarades de classe, de garçons qui l'auraient préférée plus « normale », mais qui aimaient tout de même tripoter sa différence sur la banquette arrière de la voiture de leur père.

Plus tard, elle découvrira son sentiment chez Musset : « Aimer est le grand point, qu'importe la maîtresse ? / Qu'importe le flacon, pourvu qu'on ait l'ivresse ? » Elle refuse d'être le flacon, elle aussi cherche l'ivresse. Elle traite les garçons comme les garçons traitent les filles, mais l'époque et le milieu s'y prêtent mal, on la juge, on l'étiquette. À l'école secondaire, toutes les injures pleuvront sur elle, liées maintenant à ses actes et non à son nom.

« *Trying to walk between hedonism and introspection* », note-t-elle.

Sur le même ton exactement, elle raconte qu'un homme au volant d'une Corvette blanche l'a invitée à faire une balade et qu'elle a acheté *Winter of Artifice* d'Anaïs Nin, un livre sur la mythologie et *La Divine Comédie.*

Presque tous les jours, un membre de sa petite bande est déprimé – ah, le spleen, le spleen ! – et les autres essaient de lui remonter le moral. Un garçon ou un autre propose toujours de baiser, c'est le meilleur moyen, voire le seul, de se remonter le moral, prétendent-ils. Les filles disent non, ou disent oui, mais ne se sentent généralement pas mieux après.

Elle parle constamment de garçons qui lui plaisent, elle se demande avec angoisse si elle leur plaît aussi, il semble que oui, mais ensuite ils disparaissent abruptement, ou elle arrête du jour au lendemain de s'intéresser à eux, on dirait une scène vide avec des figurants qui vont et viennent sans jamais engager le dialogue, le téléphone ne sonne pas ou sonne au mauvais moment, quand sa mère est à deux mètres de l'appareil, c'est Feydeau en beaucoup moins spirituel.

Si elle est sensible ou intelligente, elle ne le montre pas. Ses notes sont catastrophiques en sciences, bonnes sans plus dans les autres matières, elle n'atteint l'excellence qu'en français, puis en espagnol quand cette discipline s'ajoutera en deuxième année du secondaire, mais évidemment, la barre n'est pas haute.

Est-elle un écrin relativement joli qui ne contient aucun bijou, ou a-t-elle de la substance? Rien ne paraît encore. Elle est obnubilée par elle-même, elle manque d'assurance mais déborde de prétention. Elle n'a que son mal-être à partager.

*   *   *

Dès l'année suivante, les livres et les langues prennent beaucoup plus de place, et les garçons, nettement moins. Elle commence à devenir, un peu, quelqu'un.

Elle s'invente une mythologie : elle est trois personnes, dont une l'ennuie profondément elle-même. Lori n'est qu'un masque, dit-elle, c'est la fille sage et obéissante, celle qu'elle ne veut plus être. Angelina est celle qui flirte, séduit, multiplie les conquêtes. Luisa est celle qui écrit, qui sera écrivaine.

Elle a déjà beaucoup menti à ses parents, le journal intime parle plutôt de la construction d'histoires. Trouver un prétexte pour aller chez un garçon en disant que vous serez chez une amie, qu'il faut mettre dans le coup pour éviter qu'elle vous appelle à la maison ce soir-là (le cellulaire simplifiera et compliquera à la fois la vie des jeunes dissimulateurs), expliquer vos retards, inventer une réunion à l'école.

Pour avoir une double vie, il en faut trois : aux deux qu'on vit vraiment, la publique et la secrète, s'ajoute une troisième qui est pure fiction, pur récit. Ces inventions, parfois réaménagées d'urgence pour corriger une incohérence ou une contradiction, sont l'incubateur de ses écrits futurs.

Le mensonge est le début de la fiction. Inventer des histoires, c'est déjà s'imaginer ailleurs. Inventer du coup un nouveau soi qui évolue à sa guise.

*   *   *

Je me donnerais un mal fou pour ne pas avoir d'accent dans les autres langues mais j'en avais un dans ma langue maternelle, le journal intime y revient souvent. *Pourquoi tu prends cet accent anglais ?* me demandait-on sur un ton accusateur. J'imitais sûrement mon amie Sonja, qui avait passé sa petite enfance à Londres. C'était à la fois un jeu, une affectation et un hommage spontané : mon être-autre s'exprimait de cette façon. Ce mimétisme serait mon plus grand allié dans l'apprentissage des langues.

*   *   *

Elle parle sans cesse de sa différence, de sa conviction de ne pas être à sa place. Et je reviens toujours à la même question : naît-on différent ou le devient-on ? Je crois que les garçons qui me ridiculisaient au primaire avaient déjà senti ma différence et, surtout, mon incapacité totale à me défendre. Quelque chose de trop ou quelque chose en moins, un onzième doigt, une tache de naissance en pleine figure, un don ou un défaut inné, ça revient au même.

Je dramatise, évidemment. Je savais bien que du simple fait de naître dans un pays riche et paisible, même dans une famille de classe ouvrière, j'avais gagné le gros lot. Je vivais dans un bungalow confortable, bien que chargé d'une quantité criminelle de bibelots, j'étais en bonne santé et mes parents m'aimaient, je savais que j'avais des problèmes de riche, mais je sentais aussi que j'étais née miséreuse. Que je n'étais rien, que je n'avais rien.

Mes parents ne semblaient manquer de rien ni avoir quelque chose en trop, ma sœur non plus. Idem pour presque tous mes camarades de classe. Leur aisance, leur acceptation tranquille du lieu, ce que je voyais comme leur conformisme parfait me rendaient encore plus bizarre. On *est* par contraste.

On me trouvait bizarre ? Je serais différente, spéciale, excentrique, folle au besoin. Avec la petite bande d'alliés que je m'étais forgée, je leur rendrais la monnaie de leur pièce et davantage, les méprisants seraient méprisés. Déjà, au primaire, mes grandes amies venaient d'ailleurs. Sonja, de père guyanais et de mère norvégienne, Jennifer du Maryland, Hemmie née au Canada de parents coréens. Puis Lee de Toronto qui avait séjourné en Israël, André d'origine polonaise qui dans sa tête était bouddhiste thaïlandais, Mary de parents serbes, toute une troupe d'aspirants acteurs et musiciens, les *weirdos,* les ovnis, les flèches tendues vers l'avenir, mes compagnons d'armes dans la bizarrerie militante.

*   *   *

Kitchener n'est pas une petite ville : avec Waterloo, sa ville jumelle, elle compte près de trois cent mille habitants. Ce qui est petit, selon mon journal intime, c'est la mentalité des gens. « C'est une ville d'usines, écrit-elle, une ville grise, une ville vilaine, une ville vile. Une ville sans beauté naturelle ou architecturale, sans relief géographique ou culturel, une ville sans artistes, sans folie. » Une ville *landlocked,* se dit-elle, sans cours d'eau, enclavée dans sa propre médiocrité, où elle-même est *locked up, locked in,* enfermée, claquemurée. Elle voit dans le slogan écrit sur les poubelles publiques, *Let's keep Kitchener clean as a kitchen,* la preuve d'une médiocrité qui confine à l'idiotie. Une ville de gens petits, se dit-elle, mais immensément satisfaits d'eux-mêmes, une ville où les garçons passent leur temps libre à changer les enjoliveurs sur leur voiture d'occasion, où les filles attendent, en aspirant à devenir *cheerleaders,* de se marier vierges, une ville dont le principal événement culturel est un festival de saucisses, de bière et de

Oom pah pah appelé *Oktoberfest,* une ville même pas originale dans sa médiocrité. Une ville sans la vie scintillante dont elle a entendu parler dans les livres, une ville où rien d'important ne peut arriver.

Entre amis, ils disent *Kitchener* en levant les yeux au ciel et ils ont tout dit : Kitchener, c'est le condensé de ce qui est moche, mesquin, bête, provincial.

Eaux croupissantes, désert, prison de mes jours.

*   *   *

Tout se cristallise dans la langue. Mon père multiplie les doubles négations, s'oublie parfois et dit *ain't* (ma mère le corrige vite, honteuse), est presque fier de sa mauvaise orthographe. Ma mère pèche plutôt par hypercorrection *(between you and I).* Plus tard, quand ils passeront les mois d'hiver en Floride, elle emportera un dictionnaire pour ne pas faire de fautes dans ses lettres et j'en serai touchée au-delà de toute mesure. À quinze ans, je suis trop occupée à préparer mon évasion pour m'attendrir.

J'ai honte de mes parents et je trouve ça très original. Le mépris jaillit comme une grande fontaine d'eau sale et m'éclabousse au passage. Le monde où je vis est terne, je suis grise, je ne suis personne. À l'université, quand je découvrirai chez Zola l'idée de la tare, je me demanderai encore si la fatalité finira par me ramener à mon point de départ. La classe sociale est une fatalité.

*   *   *

L'enfer, n'en déplaise à Sartre, ce n'est pas les autres. L'enfer, c'est être condamné à être soi-même pour l'éternité, sans échappatoire. Très jeune, déjà, je me disais : jamais je ne pourrai sortir de mon corps, jamais je ne cesserai d'entendre le bruit de mon cerveau dans ma tête, je suis enfermée derrière ce visage avec ce corps et cette conscience, et je n'en aurai jamais d'autres. En croisant un passant dans la rue, je me disais : cette personne s'en va et je ne peux pas la suivre, je ne saurai pas où elle va. Et elle ne cessera jamais d'être elle. Cette pensée m'affole. Pas de vacances, pas de repos, juste moi moi moi moi moi sans fin.

Je voudrais être infinie, sans les limites de mon corps et de mon temps, inachevée et lancée vers quelque chose de plus vaste.

Cette mélancolie à l'idée de l'enfermement en soi est un autre germe de la fiction. Tout pour être ailleurs.

Mon désir de fiction naît aussi de ceci : certains jours, dès mes dix ou onze ans, en me promenant, je voyais toutes mes pensées, comme une narration faite en direct, apparaître dans de petites bulles de bande dessinée. En dehors de moi, comme dactylographiées au fur et à mesure.

*   *   *

Tout au long de ces journaux intimes, je la vois appliquée à s'inventer, à s'éloigner de celle qu'elle a été, de ceux qui l'ont vue grandir.

Elle naît à la musique rock en arrivant au secondaire (ses parents écoutent une radio locale où alternent les blagues éculées et la musique d'ascenseur). C'est de sa génération : David Bowie, Joni Mitchell, Cat Stevens, Jethro Tull, Lou Reed lancent quelques-uns de leurs meilleurs disques à cette époque, en 1975 sortent *Horses*, le premier album de Patti Smith, et *Born to Run*, le troisième de Bruce Springsteen. Elle découvre ensuite les Doors, William Blake, Baudelaire, Rimbaud. Des portes s'ouvrent.

Tous les lundis après l'école, avec en poche l'argent gagné durant la fin de semaine à garder des enfants qui la laissent au mieux indifférente, elle se rend au magasin de disques ou à la librairie d'occasion. (C'est là que, avec le recul, je me rends compte que je n'ai pas grandi dans une si petite ville. Que serais-je devenue dans un endroit privé de ces deux entrepôts de rêves ?) Elle écoute, lit, dévore. Molière, Huxley, Hugo, Dickens, les grands romanciers russes, Jane Austen, les Brontë, George Eliot. Sans la littérature en poche chez Penguin, que serait sa vie ? En décembre 1976, *The Female Eunuch*, sa première lecture féministe, la seule pendant longtemps. Elle achète des livres d'art : Gauguin, Toulouse-Lautrec, Van Gogh, Käthe Kollwitz. Elle travaille avec rage, avec application, elle a une vie à se tisser.

Au moment où j'écris ces pages, je lis quelque part : « Tout le monde connaît Caspar David Friedrich, bien sûr, mais qui connaît… » et, au lieu de l'orgueil que j'aurais senti plus jeune à me trouver parmi les initiés, une furie de classe m'envahit. Je suis prête à parier que personne, dans ma famille biologique, ne connaissait Caspar David Friedrich. Pas sûre d'ailleurs qu'ils connaissaient Manet ou même Monet, et j'ai envie de crier qu'on peut être une personne magnifique en ignorant jusqu'au nom des trois. Mais à l'époque, je ne voulais que ça, trouver ma place parmi les gens qui connaissent. Je n'ai jamais volé un livre, mais j'ai volé la culture, qui n'était pas pour nous.

Sa mère s'inquiète de voir s'ériger les tours de livres, remparts contre la vie pratique. *Il faudrait un moyen de gagner ta vie,* avertit-elle, *personne ne va te payer pour lire des romans.* (Un instant, naïvement, la petite songe à devenir bibliothécaire pour cette raison précise.) *Suis des cours de dactylo,* continue sa mère, *être secrétaire, c'est très bien.* Je m'amuse à penser que j'exerce l'une des rares professions où on vous paie pour lire des romans au moins une partie du temps, douce vengeance de la vie.

Voici le palmarès de janvier 1977.

« Les romanciers que j'admire le plus : Anaïs Nin, Colette, Sylvia Plath, Erica Jong, Simone de Beauvoir, Marie-Claire Blais, Anne Hébert, Virginia Woolf, Mary McCarthy, Steinbeck, Dorothy Parker, Margaret Laurence, George Orwell.

« Les poètes : Leonard Cohen, Plath encore, Denise Levertov, Andrei Voznesensky, Anne Sexton, Rimbaud, Neruda.

« Les nouvellistes : Poe, Conan Doyle, Sartre, Mansfield, Colette.

« Les dramaturges : Shakespeare, Sartre, Camus, Williams, Sophocle, Albee, O'Neill. »

Un programme inégal, mais elle l'a bricolé toute seule, au rayon des classiques de la librairie d'occasion, sa meilleure école. Voilà pourquoi, malgré mon doctorat, je me sentirai toujours autodidacte.

Elle lit en français, plus tard en espagnol, elle note le degré de difficulté de chaque livre. *La Belle Bête,* puis *La Peste, Kamouraska,* selon les rares livres en français dénichés à la même librairie d'occasion. Elle lit aussi *Platero y yo, Lluvia roja,* puis María Luisa Bombal, *El árbol.*

Les mots rentrent, les mots sortent. Elle note les titres et les sujets des poèmes, des nouvelles qu'elle écrit. En juin 1976, elle dit : « J'ai mes livres, mon écriture, je n'ai pas besoin de grand-chose d'autre. » Elle commence un roman, *Free Love and Other Myths.* (Elle ne le terminera jamais, mais le titre me plaît beaucoup.) Le même mois, elle note ceci : « Voici presque un an que j'écris sérieusement. "Chimera", mon premier poème sérieux, a été rédigé le 10 juillet 1975. » Six mois plus tard, elle raconte la cérémonie de remise, à la bibliothèque municipale, des prix littéraires du *Kitchener-Waterloo Record,* le journal local. Sa nouvelle « Chimera » (ce mot compte décidément beaucoup pour elle) a remporté le prix pour les moins de dix-huit ans.

C'était, je crois me rappeler (cette merveille est hélas perdue), la sombre histoire d'un homme qui, fuyant un poursuivant invisible qui est peut-être lui-même (ô Poe, ô Dostoïevski, ô Dorian Gray), trouve la mort dans une impasse au bout d'une ruelle sordide. (Image mélodramatique de ma vie redoutée.) Le texte a sans doute été primé parce qu'il était parsemé de mots recherchés, chose qu'on apprécie chez les jeunes personnes, mais ce qui m'impressionne aujourd'hui, c'est qu'une jeune fille née loin de la culture ait songé à participer à un concours littéraire, ait rédigé et, surtout, *envoyé* un texte. Il fallait vraiment qu'elle ait envie de se tirer de là.

Elle s'invente des vies. Parmi elles : « *Someday I am going to meet rock stars. Be a trilingual Lisa Robinson poet.* » Elle lit, elle écrit, elle se catapulte ailleurs.

Ce qu'elle veut, c'est tout simplement – tout difficilement – se réécrire.

* * *

Les adolescents ont de nombreuses voies d'évasion, dont le sexe, les drogues et le suicide. Parmi les plus constructives, la musique, les livres, le cinéma. J'ai tâté de la plupart d'entre elles, drogues dures en moins, mais la langue, une voie plus rare, a été la bonne, la vraie.

Mon amour du français est né du coup de foudre pour les Leduc, ma persistance au cours de ces années vient peut-être du mépris que j'ai pour mon milieu, mais aussi pour ma propre personne. Magie et honte. Mots neufs, peau neuve.

* * *

Ses apprentissages la tiennent occupée, mais tout de même l'ennui, l'ennui. Les cours l'ennuient (y compris ceux de langue, lents là où elle est vive, prête à travailler cent fois plus), la maison l'ennuie, ses sorties sont contrôlées, ses conversations au téléphone surveillées.

En treizième et dernière année, les élèves ont le droit de faire accompagner leur photo dans l'album des finissants d'une citation de leur choix. La sienne est en français, ce qui fait déjà lever des sourcils : « La vie est courte, mais l'ennui l'allonge. Aucune vie n'est assez courte pour que l'ennui n'y trouve sa place. » Drôle de choix pour une jeune fille toute tendue vers son avenir, mais elle se voit encore engluée dans le limon du présent, avion sans piste de décollage, sans horizon.

*   *   *

Vers l'époque des Leduc, j'avais fait une liste d'endroits à visiter. *Le centre-ville. Un cimetière. Paris.* Avant tout, les villes, les voix, les lumières. Et les histoires écrites sur les pierres tombales, la paix.

Le rêve accessible, c'était Toronto, même si mes parents refusaient de me laisser y aller. La petite écoute CFTR AM, radio de musique rock, elle apprend par cœur les noms des rues, des stations de métro. En début de soirée, on réduit l'intensité du signal, la friture prend sa place et elle sent le monde rapetisser.

C'est en juillet 1976 – je l'avais complètement oublié – qu'apparaît pour la première fois l'idée de se nommer Israel. Au terme d'une discussion avec son ami André sur l'équilibre entre le soi émotif, spirituel, physique et intellectuel, elle écrit : « Je crois que je vais adopter Israel comme mon nom spirituel. »

À la librairie d'occasion, quelques jours plus tard, elle annonce, en présentant ses achats à la caisse : *Je vais devenir Israel Walker et vous allez vendre tous mes livres.*

Tu devrais aller vivre à Toronto, lui répond le caissier, irrité plus qu'impressionné.

Pas plus que *tu es différente,* ce n'était un compliment. Il n'y a pas de bonne différence, il y a la norme et il y a les déviantes comme elle. Mais elle est folle de joie. Elle se sent reconnue. Elle travaille si fort à être mal comprise.

Toronto, pour les gens qui sont heureux à Kitchener, est l'endroit où devraient aller vivre les gens bizarres pour qu'on soit encore plus heureux à Kitchener. Toronto, c'est aussi le rêve de ceux qui sont différents, ses amis gays y sont tous partis dès la fin du secondaire, et deux des trois y sont morts du sida après quelques petites années de fête, l'autre a survécu un peu plus longtemps. Ses autres amis inadaptés rêvent aussi de s'y établir.

Elle aussi fera escale à Toronto, elle y vivra un an pour faire sa maîtrise, bien qu'elle ne le sache pas encore. Mais son vrai rêve, c'est Paris.

Elle lit Colette (en traduction anglaise d'abord, plus tard en français), les romans de Sartre, *L'Invitée* de Simone de Beauvoir, elle bricole une géographie imaginaire, des noms, des rues, une certaine idée de la liberté. Anaïs Nin : elle vivait à Paris, elle écrivait, elle avait des amants (et des amantes) ! Colette : elle vivait à Paris, elle écrivait, elle avait des amants (et des amantes) ! Tout sauf le mariage et la maternité, ce double esclavage. Amour, glamour, liberté, littérature, Paris est la ville où tout converge. La petite est un ressort qui commence à se tendre vers cette ville.

À l'aéroport, quand elle raccompagne ses parents qui partent quelques jours chez un ami d'enfance installé pour l'année au Mexique – sinon ils ne vont jamais qu'en Floride –, elle insiste pour traîner l'une de leurs valises. Tout pour avoir l'air de celle qui s'en va.

*   *   *

J'avais deux parents vivants, ma mère à la maison, mon père à l'usine. Mais dans mon journal intime, il n'est à peu près jamais question de lui. Que d'elle, d'elle, d'elle.

Ma mère, née Jacquelin Marie Schmidt. Elle mesure un mètre soixante-cinq et pèse plus de quatre-vingt-dix kilos. Elle est un tonneau, une tour, un champ de mines. Elle parle fort. Elle prend de la place, beaucoup de place.

Elle me surveille, me suit de près. Elle a le sommeil si léger que mes rêves d'évasion l'éveillent.

La colère de ma mère crépite et résonne dans toute mon enfance, et davantage à mesure que j'exige espace et liberté. Cette femme est un ressort tendu, si on la touche, tout risque de sauter. (Je vois que la même métaphore m'est venue plus tôt pour parler de moi, et je la laisse parce que cette reprise est éloquente.) *Tu m'as sali mon plancher, tu m'as gâché mon ordre parfait dans le tiroir des couverts, tu as désobéi, tu as dit, demandé, pensé ce qu'il ne fallait pas.*

Elle a été une mère de rêve pour ses enfants jeunes – elle nous cousait des robes pour nos Barbie, elle coloriait avec nous, elle nous aidait, enthousiaste, avec nos bricolages scolaires –, mais mon adolescence a failli nous tuer toutes les deux. Je ne suis plus une bonne fille, sa colère attise la mienne, et sa répression, ma rébellion. Je sortais tôt, je rentrais tard (j'étais punie, je recommençais), je « répondais », je raisonnais, je les méprisais ouvertement. Des amis à eux – tout se voyait, tout se colportait dans le cercle de mes parents, voilà pourquoi une ville de taille plus que respectable donnait la fausse impression d'être un village – m'avaient vue monter dans une voiture ou en descendre, traîner avec un garçon (et durant un bon, ou plutôt un mauvais, moment, il y a eu beaucoup de voitures et beaucoup de garçons), leur petite fille sage était devenue une boule de rage et de défi.

*   *   *

Tu as toute ta vie pour faire ça, dit ma mère chaque fois qu'elle me refuse une liberté. Je n'ai que l'angoisse de vouloir tout faire en même temps, tout de suite.

En tout, je prends le contre-pied de ce qu'elle est.

Elle était grosse, je serais maigre.

Elle avait quitté l'école jeune, je ferais de longues études.

Elle s'était mariée et avait eu des enfants, je resterais libre.

Elle me disait d'éviter les garçons, je les chercherais partout.

Elle n'était allée nulle part, je voyagerais.

Ma mère aimerait cette robe ; je vais acheter l'autre. Rébellion typique d'adolescente, prolongée bien au-delà de mon adolescence.

Ma mère porte des ensembles pantalon et grande blouse à imprimés énormes : tempêtes de fleurs, d'animaux de la jungle, de voiliers ou de parapluies à l'envers et à l'endroit. Du polyester, toujours. Des chaussures et des sacs à main en vinyle de couleur vive, de gros colliers et de grosses boucles d'oreilles en extrême toc, le tout assorti au pantalon : vert fluo, rose fluo, orange fluo. Ma protestation : du noir, du crème, du blanc, des tissus unis et toujours naturels. Je m'entraîne à les reconnaître au toucher sur les présentoirs des magasins : coton, lin, soie, ma nouvelle religion. Il faudra des décennies pour que j'ose des rayures ou un motif. J'achète peu, je désire beaucoup. Autour de ma taille, je noue une écharpe rouge ou violette. Je me costume.

J'avais honte d'elle alors. Mais pourquoi une grosse femme devrait-elle forcément s'habiller terne ? Plus tard, je la trouverais brave, vivante. Elle avait assez repassé, le polyester l'a libérée. Elle-même était une image qu'elle coloriait, comme une petite fille qu'on a retirée de l'école. Peut-être même qu'elle se costumait à sa manière, différente de la mienne.

J'ai dû la mépriser, la détester pour pouvoir la quitter. J'ai fabriqué cette haine et ce mépris.

* * *

La petite est fascinée, avec quelques années de retard, par le *glam,* les métamorphoses de David Bowie avec ses *men's dresses* (indignation prolongée de son père), les ambiguïtés sexuelles, Patti Smith en chemise d'homme et cravate, Marc Bolan, *Sheer Heart Attack* de Queen. Elle s'imagine confusément que s'habiller comme eux lui donnera du talent.

Dans les effets d'une grand-tante qui vient de mourir, elle récupère un manchon de fausse fourrure, un énorme parapluie noir au manche nacré comme celui d'Yvonne De Carlo sur une affiche de Hollywood vue à la librairie d'occasion. Elle s'achète un costume trois pièces noir, un feutre noir, un étui doré pour ses cigarettes (elle fume essentiellement pour les accessoires, elle arrêtera assez vite). Elle écrit, ravie : « Darla dit que j'ai l'air italienne dans ma robe noire. »

« L'œillet vert d'Oscar Wilde – il ne signifie rien en particulier, mais les gens penseront que si. Exactement la même chose pour ma manière de m'habiller. » Elle trouve un boa et le porte en classe. Elle maquille son copain et écrit qu'ils iront à un bal à l'école « *looking bizarre.* Détails à préciser. »

Chaque matin, quand elle arrive dans la cuisine, sa mère et sa sœur lui jettent un seul coup d'œil et demandent : *Tu vas vraiment porter* ça ? Eh oui, elle va porter *ça.* La désapprobation de l'entourage est un signe de reconnaissance, elle comble sa vanité, fortifie sa volonté, lui indique qu'elle est sur la bonne voie. Et si elle a trop peur de partir après tout, on la chassera. Elle est Janis Joplin maltraitée par ses camarades de classe : « *They laughed me out of class, out of town and out of the state.* »

Elle voit bien qu'entre sa petite sœur de onze ans, « le sommet du conformisme », et elle-même, entre « je ne peux pas porter ça, personne ne porte ça » et « je veux porter ça parce que personne ne porte ça », la différence n'est pas si grande. Elle sait qu'elle est ridicule. (Et imbuvable : elle assiste à une production de *Who's Afraid of Virginia Woolf?* et précise : « J'ai expliqué la pièce à plusieurs personnes qui étaient incapables de suivre. »)

Elle écrit ceci : « C'est plus facile d'être comme tout le monde, mais c'est un cul-de-sac. La rébellion ne va pas loin non plus – mais au moins, on aura essayé. » Elle ne voit pas d'autre solution que la rébellion. Si elle n'est pas différente, elle aura échoué.

*   *   *

Sonja est fille de médecin, Jennifer et Hemmie, filles de professeurs d'université. *Tu vaux autant qu'elles,* dit ma mère, d'où je déduis naturellement qu'elles valent plus que moi. La mère de Sonja décrète que sa fille déchoit à fréquenter les rejetons de la classe ouvrière et lui impose les filles de ses amies, Ava et Sara : un père avocat, l'autre dentiste. Pour m'annoncer la rupture – elle ne doit plus m'adresser la parole –, Sonja m'emmène là-haut, dans le petit bosquet de la cour d'école, notre coin secret qui n'existe plus depuis longtemps, au milieu des lilas en fleur. Pour moi, la trahison sentira toujours le lilas.

*   *   *

Ma rébellion commence par la bouche.

D'abord par ce que je refuse d'ingérer.

Ma mère était grosse, mon père était gros, ma sœur était potelée, bientôt grosse. *You're such a bony thing!* disait ma mère. Je m'installais à sa table d'un air dégoûté et je touchais à peine à ses plats. J'avais horreur des viandes bon marché, à la fois coriaces et étrangement molles, des pommes de terre et des carottes mijotées jusqu'à la fadeur jaunâtre dans le jus de cuisson. J'avalais un à un les petits pois en boîte, chacun avec sa gorgée de lait, comme des aspirines. Malgré les haut-le-cœur, il fallait terminer son assiette.

Ne pas gaspiller, l'obsession. Si on reçoit un paquet, on le déballe avec soin, on défroisse le papier et on le range avec le moindre bout de ficelle, *ça peut toujours servir*. On mange les restes jusqu'à la dernière miette, *c'est passé, mais tout de même*. Pieds qui puent à cause des chaussures bon marché, vêtements choisis sur le présentoir des « 2 pour 1 » : deux moches valent mieux qu'un beau. Un seul bain par semaine, le samedi soir, pour être propre à l'église, le lendemain matin. Je ne veux pas comprendre qu'ils ont grandi dans des familles ouvrières au plus fort de la dépression, suivie de la guerre, je les trouve simplement mesquins, *petits* (ma lecture des romans russes m'a convaincue que j'ai une grande âme).

Vomir, rejeter, repousser. *Our food is not good enough for you? Well, no.* Comme je rejetterais le reste, peu à peu. *Our name is not good enough for you either? No. Our language is not good enough for you? Exactly.* La langue et le nom étaient encore à venir, mais l'assiette était déjà un champ de bataille.

*   *   *

La table, lieu de tant de luttes autour de mon inappétence, était aussi fête linguistique.

Je lis tout le temps, partout, je lirais sous la douche, je lirais en dormant. Sur la table, pour qui l'étudie discrètement, il y a une riche matière bilingue. Les boîtes de céréales, les Rice Krispies (*Snap, crackle, pop* qui devient *Cric, crac, croc,* métamorphose qui me donne longuement à réfléchir) et *Tony le tigre,* le lait Carnation, *maintenant plus crémeux,* avec ses recettes, le ketchup Heinz, *57 variétés,* le Cheez Whiz, *préparation de fromage fondu.* Le français résiste et me donne de la place pour m'étonner, pour rêver.

Je mémorise des mots, des phrases, l'air de ne pas y toucher. L'évasion n'est pas tolérée, c'est une forme de désertion. Ma vie commence là, avec l'appel de l'étrangeté, l'évasion mentale.

*   *   *

Tout passe par la bouche : je crache du fiel. *Tais-toi,*
wipe that look off your face, arrête de te moquer de nous.

Mon père était un figurant aimable ou terrifiant, à
tour de rôle, il partait travailler et revenait manger, lire
le journal, regarder la télé, tondre la pelouse et dormir.
Il nous aimait bien, ma sœur et moi, nous ébouriffait
les cheveux avec un *let's go, boys*, nous appelait Buster,
n'avait pas grand-chose à nous dire. Quand ma mère
avait multiplié en vain les punitions et les gifles (c'est
moi qui la mettais hors d'elle, ma sœur était plus jeune
et, surtout, plus sage), elle avait recours à lui.

C'était l'époque où un homme pouvait rentrer de
l'usine, crevé, et se faire accueillir par une femme à bout
de nerfs : *Elle ne m'écoute pas, fais quelque chose !* Il
s'exécutait, à froid : lui aussi avait peur d'elle. Ou bien,
une fois qu'il avait commencé, il aimait peut-être ça,
taper. C'est elle qui le lance, elle qui l'arrête : *That's*
enough, Don, stop now ! Je hurle, je saigne du nez, parce
que j'ai pris des coups ou parce que je me suis énervée,
impossible de savoir. *Arrête de crier, ça n'a pas fait mal.*
Si tu étais gentille, on ne serait pas obligés de te corriger.

*   *   *

Un jour pire que les autres, presque tous mauvais,
ma mère me maudit : *J'espère que tu auras une fille, un*
jour, qui te traitera aussi mal que tu me traites ! Qu'est-ce
que je vais rire… Et moi, tranchante : *Jamais je n'aurai*
d'enfants. Jamais je ne serai comme toi.

Elle me rappelle pour la énième fois que quand

j'étouffais à cause de mes crises d'asthme, toute petite, elle passait la nuit, une main rassurante sur ma poitrine, à me faire respirer lentement, calmement. *Je t'ai donné ma vie*, résume-t-elle. *Reprends-la, ta vie, je n'en veux pas! Et arrête de respirer à ma place!*

Plus tard, j'aurai un fils, puis une fille. Des enfants agréables, coulants. Je ne les ai jamais frappés. Ma mère et moi n'avons jamais reparlé de la malédiction.

*   *   *

Entre les pages d'un des cahiers du journal intime, je trouve mon mot de suicide.

Il commence ainsi : « Vas-y, au Mexique, sois heureuse. Je ne peux pas passer le reste de ma vie à me faire dire que j'ai ruiné la tienne. » Mon mot d'adieu à la vie s'adresse à ma mère, qui d'autre ? En bas, on lit : « J'ai pris 12 "222". »

Quantité dérisoire, mais elle ne le savait pas, pauvre petite, sa mère a une telle phobie des pilules que le moindre comprimé lui paraît piégé. Elle se couche, en paix, s'endort. Sincèrement surprise, elle retrouve le monde des vivants le lendemain matin. S'habiller, se rendre dans la cuisine, *tu vas vraiment porter* ça ? Elle cache le mot, tout reprend comme avant.

Pauvre fille, si lointaine maintenant qu'elle m'inspire une tendresse amusée : elle souffre si entièrement, si ridiculement emmurée dans sa peine. Je me souviens de chaque détail, mais je suis surprise d'avoir conservé le mot.

*　　*　　*

Dans son journal, elle parle souvent d'enlever des masques, se demande si elle trouvera, au fond, son vrai visage. Mais ce qu'elle veut vraiment, c'est se faire chirurgienne plastique, sculptrice, créatrice d'elle-même.

*　　*　　*

Un jour, j'avais un peu plus de vingt ans, ma mère, au détour d'une conversation ordinaire, m'a dit : *Si ma vie était à refaire, je n'aurais pas d'enfants.*

Mon cœur s'est arrêté de battre une seconde. Je l'ai regardée, elle était calme, souriante, elle ne m'attaquait pas. J'ai dit : *Je sais, maman, tu aurais eu une carrière.*

Elle a hoché la tête, contente d'avoir été comprise. Et nous avons continué de causer, une mère et une fille, un jour ordinaire d'une semaine ordinaire, attablées devant nos tasses de thé.

J'ai souvent raconté cette phrase de ma mère, et la condamnation est universelle. *Comment peut-on dire une chose pareille à sa fille ? Si ma mère m'avait dit ça, je me serais tuée ! Quel monstre, pauvre toi !*

Longtemps, trop longtemps, j'ai cultivé cette image de victime. Mais je sais, je savais déjà à l'époque que *si ma vie était à refaire, je n'aurais pas d'enfants* voulait dire autre chose. C'était la plus oblique, la plus subtile des explications. Des réconciliations.

Je le savais depuis toujours : les enfants captent sans

mal les aspirations secrètes de leurs parents ; les adolescents, eux, cherchent à les oublier pour assurer leur propre survie. (À six ou sept ans, l'un de mes neveux a dit un jour à sa mère, sur le ton de l'évidence : *Je sais, tu aurais voulu que je sois une fille.*) Ils savent la douleur, les failles de leurs aînés, ils les portent en eux, déjà, comme une fatigue ancienne.

Née dans les années 1930, ma mère savait qu'une femme, surtout une femme de sa classe sociale, ne pouvait pas tout avoir et qu'il valait mieux choisir la sécurité : une alliance en or et un nouveau nom qui vous feraient exister. (Comme moi, plus tard, je choisirais le risque, le départ et un nouveau nom qui me feraient exister.) Est-ce de ces désirs non exaucés, du vide en elle, que naît le vide en moi ?

De ses deux filles, l'une aurait une carrière, l'autre une famille : tel a été son décret.

Elle-même était un chemin qui bifurquait, et ses deux filles la continueraient : l'une vivrait sa vie, l'autre la vie qu'elle aurait voulu avoir.

Et longtemps, en effet, je n'ai pas voulu d'enfants. Et ma sœur n'a pas cherché à avoir une carrière.

Ma sœur était l'image de ma mère, sa vie, ses goûts, sa forte taille, sa voix, son visage. Je suis son envers, le négatif de sa photo, yeux blancs et dents noires, ou encore la vraie photo d'elle-même en jeune diplômée (toge, mortier, sourire plein d'avenir) qui n'a jamais existé.

*   *   *

J'apprends le français malgré le programme, malgré les enseignants. Certains nous détestent. D'autres font de leur mieux avec les sujets récalcitrants que nous sommes.

Miss Scott, trapue et rougeaude, cheveux grisonnants coupés en brosse, moitié religieuse, moitié sergente d'état-major. Jamais on ne l'a entendue parler français. Selon la légende, accompagnant des élèves à Québec, elle aurait fondu en larmes devant le premier serveur venu, incapable d'enchaîner deux mots. Maintenant, elle ne dit que : *Sit down, class, and start copying out these verb charts.* J'aime la paix de sa salle de cours. Dire : *je dis, tu dis, il/elle dit, nous disons...* Des feuilles de vocabulaire aussi. La méthode est discréditée, mais, dans mon cas, efficace. Comme les Leduc sont entrés en moi par les yeux et les oreilles, les verbes entrent en moi par la main.

Miss Scott ne nous a jamais demandé de construire une seule phrase. Elle parcourt les rangées, montre un élève du doigt et exige une traduction : house, *la maison,* horse, *le cheval,* marriage, *le mariage* (je me rappelle m'être dit en voyant le *r* unique : piège, il faut m'en souvenir). Elle hoche la tête, *next,* la prononciation ne compte pas, juste le mot.

Mrs. Chris, brune et affable qui, devant notre mutisme, dit toujours : *Je suis dentiste, je dois sortir les mots de votre bouche!* La meilleure, la plus enthousiaste et, étrangement, celle dont j'ai presque tout oublié.

Miss Shaw, grise et méchante (elle tourmente férocement les moins doués), qu'on envoie au comptoir du prêt de la bibliothèque scolaire quand elle n'en peut plus de la pression en salle de classe. Nous nous comportons avec elle, je le vois maintenant, comme les garçons du primaire avec moi, déchaînés par sa faiblesse.

Un jour, je suis sans doute occupée à passer un petit mot, elle m'interroge et je réponds : *Pardon ? Je n'écoutais pas.* Ravie de m'avoir prise en faute, elle se lance dans une explication de la différence entre « entendre » et « écouter ». *Il faut dire : « Je n'ai pas entendu. »* Pause dramatique, regard en coin vers mes amis les plus éveillés : *Non, madame. Je n'écoutais pas.*

Enfin, M. Poyntz avec sa petite moustache proprette et ses deux complets en seersucker (lundi brun, mardi bleu pâle…). J'écris une composition sur mon futur suicide et quand il me prend à part, le front plissé, je me moque de lui. Je lui en remets une autre sur la fille dont je suis amoureuse (Sonja est revenue dans ma vie, elle ne permet plus à sa mère de choisir ses amies). Cette fois, il ne dit rien, il s'est habitué à mon jeu, ou alors le sujet l'intimide.

*   *   *

Un jour, ma sœur lit mon journal intime et raconte tout à ma mère. J'ai le souvenir, peut-être fabriqué, d'elles deux penchées sur ses pages, scandalisées, à rire de moi. Je me suis mise à le cacher, à m'exprimer de manière codée, et enfin, peu à peu, à le rédiger dans mon français encore rudimentaire, en partie inventé.

Et quel désastre, le français de cette petite! Soyons justes, elle est passée de *Pitou, le poulet!* aux listes de verbes. Rien qui l'aide à parler de ce qui lui importe : elle-même, les sentiments, son quotidien. Voilà pourquoi ses camarades de classe ont presque tous abandonné. À quoi bon, si on ne vous donne pas les mots pour dire ce qui vous intéresse ?

Elle essaie de bricoler des idées avec son dictionnaire de poche. Beaux efforts, laids résultats. Ayant trouvé pour *care* la traduction « se soucier », elle invente « Je ne me soucie pas » quand elle veut dire « Je m'en fous ».

Mais elle travaille, elle avance, elle veut. Là réside sa force : peu de gens *veulent* autant qu'elle. Elle s'acharne, approfondit, persiste et signe et persiste encore. Elle est son propre *work in progress,* une vie qui cherche ses mots, sa langue.

Fourmi et non cigale, et pourtant, apprendre, pour elle, c'est chanter, danser.

*   *   *

Ma mère avait deux phrases opposées sur la visibilité. *Personne ne te regarde, toi,* qui voulait dire : *Tu n'intéresses personne.* Mais aussi le contraire : *Arrête, tout le monde te regarde,* qui voulait dire qu'on était ridicule. Qu'on *se donnait en spectacle* comme une imbécile.

Aujourd'hui, j'enseigne, je fais des lectures

publiques, je donne des conférences, debout sur l'estrade dans une grande salle où plein de gens me regardent, toutes choses que ma mère n'aurait jamais imaginées. Je me donne en spectacle, je suis le spectacle. Mon corps, ma voix, parfois mes histoires intimes au grand jour.

Who do you think you are? You're nobody special. Rengaine de ma mère devant mon désir – insultant, blessant, incompréhensible – d'un ailleurs.

Pour qui te prends-tu? La phrase est plus profonde qu'elle n'en a l'air. Si on l'entend vraiment comme une question, et non une rebuffade *(tu n'es pas aussi bonne que tu le penses)*, elle signifie qu'on peut se prendre pour quelqu'un d'autre et se transformer. Décider qui on est. *Pour qui te prends-tu?* est donc une invitation, presque un tapis rouge, un mode d'emploi, tout comme l'est, au Québec, l'expression *se prendre pour un autre.* Un jour, très tôt, je me suis prise pour une autre, pour une personne qui allait apprendre le français et s'en aller pour toujours. Et je l'ai fait.

Mais il y avait aussi un troisième sens, que je ne devinais pas alors. Sous la gifle de *Pour qui te prends-tu?*, il fallait entendre une demande aimante : *Ne t'éloigne pas, ma petite, prends-toi pour ma fille et reste avec moi pour toujours.*

*   *   *

Je la traque dans les cahiers étalés sur la table du café Barbieri. Est-elle moi, cette jeune fille furieuse et rebelle, ou est-elle ma petite sœur, elle qui aura toujours quinze ou seize ans, alors que moi, je vieillis ? Ou est-elle plutôt ma grande sœur, voire ma mère, celle qui m'a donné naissance, celle dont je suis issue ?

Et où est-elle passée ? Est-elle en moi comme un reste de peine, comme une pierre avalée, comme un fœtus mort, fossilisé, dans le corps de sa mère ?

*   *   *

J'aime bien cette entrée du 14 juillet 1976 : « J'ai commencé un poème à propos d'un acteur. Il ne va pas encore très loin, mais les possibilités sont là. Comme ma vie. »

*   *   *

Elle se déguise, déguise sa voix, change ses mots, se met en scène.

Elle fait des auditions pour le rôle de sa vie : Personne Nouvelle.

En dernière année du secondaire, on vous interroge constamment sur vos projets. Elle dit, chaque fois : *Je vais écrire des romans et les traduire en français et en espagnol.* Elle surestime ses capacités – personne ne fait ça en trois langues, et rares sont ceux qui le font en deux –, mais elle a déjà vu, très clairement, son avenir. Ne lui reste qu'à le concrétiser.

Elle est sa propre matière brute, argile, pâte, bout de bois flotté ou bloc de marbre. Elle est obnubilée par elle-même, mais elle a ses raisons. Elle jette le vieux, fabrique le neuf. Elle se réinvente. Ce ne sera pas la dernière fois.

L'exil à domicile

Je n'ai jamais été chez moi chez moi.

*   *   *

Quel genre d'étrange créature se sent en exil dans la ville où elle est née, où ses parents et ses grands-parents sont nés, sans parler des cinq ou six générations antérieures ? Pourquoi leur satisfaction instinctive s'est-elle transformée chez moi en cendres, en poussière ? Tout ce que je sais, c'est que je me projetais ailleurs, des années avant d'être allée où que ce soit. Ma ville natale m'était étrangère, sans rien qui me plaise, rien qui m'attire.

D'où vient le sentiment d'être depuis toujours à côté de ce qu'on attend de nous, de regarder les autres du coin de l'œil pour les imiter, eux qui semblent savoir ?

Depuis le début, ma tare : je ne sais pas *appartenir*. Je suis née comme ça, à côté, dehors.

Altérité purement intérieure : j'aurais dû être chez moi chez moi, comme mes grands-parents, mes parents, mes cousins, ma sœur. Je ne l'ai jamais été.

Malgré quinze ans de quasi-unilinguisme, je parlais ma première langue maternelle avec un accent. Je n'ai jamais été aussi désorientée que dans la ville où je suis née.

Il y avait en moi un vide qu'aucun autre membre de ma famille n'avait. Tellement grand qu'il m'était impossible de leur en parler : je n'avais pas les mots, ils n'avaient pas la chose. La chose, *ma* chose, était inimaginable.

D'où vient le vide ? Est-il de naissance ? A-t-il un lien avec les aspirations étouffées de ma mère ? Ce trou au cœur de moi, qui l'a creusé ? Avec quelle pelle ? Moi-même, peut-être ? Mais alors, pourquoi s'acharner à souffrir ?

*   *   *

Au café Barbieri, un Argentin et une Uruguayenne parlent de la chance qu'ils ont eue de pouvoir s'établir en Espagne. « Mais on rêve tous de vivre là où on est né », dit-elle, et il hoche tristement la tête.

Pas moi, ai-je envie de leur dire. J'aurais fait n'importe quoi pour ne pas vivre là où j'étais née.

Bien sûr, je ne me compare pas une seconde aux vrais exilés, aux vrais réfugiés, aux gens qui, pour survivre, doivent tout recommencer, ailleurs, sans savoir s'ils y laisseront leur peau. Les frontières que j'ai traversées ont été symboliques, sans poste de douane, sans chiens ni soldats. Je n'ai pas risqué ma vie, même si je jouais ma vie.

Tout de même : dès l'éveil à la conscience, je savais que je devais partir, que ma vie était à ce prix. Mes amis, je l'ai dit, venaient tous d'ailleurs, ils avaient un *avant* que je leur enviais, même s'ils souffraient de s'en être éloignés.

Ce n'est pas grand-chose, ce que j'ai fait. Je n'ai traversé aucune frontière internationale, aucun fuseau horaire. C'est beaucoup, ce que j'ai fait. Moins la distance géographique que le changement de langue et de culture. Personne, d'où je viens, n'apprend vraiment le français.

Je n'ai pas changé de pays, mais j'ai changé de monde. Aucun exil, même choisi, n'est exempt de violence.

*   *   *

On peut changer son nom ou la couleur de ses cheveux, modifier son corps et son visage grâce à la chirurgie, on peut émigrer une fois pour toutes, mais on ne peut pas changer l'endroit où on est né. Il est dans votre passeport, il sera dans votre avis de décès, les gens pensent qu'il vous explique. Les gens normaux n'ont pas honte de l'endroit où ils sont nés. Moi, j'avais honte. Jeune, j'étais en exil dans le seul lieu que j'avais connu.

*   *   *

Un exilé aime son pays, même s'il le hait aussi, même s'il a coupé tous les ponts, même et peut-être surtout s'il a dû s'enfuir à la pointe des mitrailleuses. Il lui reste des images, des odeurs, la lumière d'une place à midi, l'odeur du varech, un arbre, une vieille chanson, une fleur.

L'exilé quitte un lieu aimé. Je n'aimais pas mon lieu, et je n'en avais pas d'autre : que des villes rêvées, lues, Paris ou Londres dans les romans. Dans ma famille, l'origine allemande est si lointaine, les années passées au même endroit si nombreuses qu'on a perdu jusqu'au souvenir d'un autre pays.

Beaucoup parlent de leur lieu natal comme d'un paradis perdu. Moi, si j'avais un paradis, il était forcément devant et non derrière. Voilà ce qui me poussait à avancer, à toujours avancer à sa recherche. Derrière moi, autour de moi, il n'y avait rien. Table rase, et c'est moi qui avais tout effacé ; terre brûlée, et c'est moi qui avais mis le feu.

Mon ennui interminable, mon calvaire, mon rocher qui déboulait encore et encore. Tout mon désir était tourné vers l'avenir. Jamais je ne découvrirais, une fois partie, que Kitchener avait été un paradis après tout, jamais je n'en aurais la moindre nostalgie.

∗   ∗   ∗

C'est où, chez moi, c'est quoi, chez moi ?

Puisque ma langue maternelle était désormais une étrangère pour moi, la langue française, dès les Leduc, est devenue mon monde. La langue comme foyer, lieu d'accueil, doux port.

Singulier exil : quand je quitte mon lieu de naissance, ma langue de naissance, je n'entre pas dans l'exil, j'en sors. Je suis une exilée inversée.

La langue française, ma vraie vie, mon pont. Nouvelle Alice, je traverse le miroir et j'atterris au Québec, neuve à vingt et un ans, incapable d'imaginer les combats à venir, les livres à venir, l'amour et les enfants à venir. Sachant seulement qu'il faut tout recommencer.

Le miroir des langues

Qui est là quand on dit *C'est moi* ? Et est-ce la même personne si on dit *It's me* ou *Soy yo* ou *Das bin ich* ?

*   *   *

Ce que j'ai fui était laid – à mes yeux, du moins –, mais ce que j'ai trouvé était beau. Le français, l'écriture, les voyages.

Jamais je ne pourrai dire tout le bonheur que j'ai eu, que j'ai, à apprendre, à utiliser, à vivre la langue française. Combien elle m'a comblée, logée, nourrie. S'est faite maison, palais, parc, jardin et ville, mer et monde, tout ce que j'avais pu imaginer et davantage.

Seconde dans le temps, elle était première dans mon cœur. Le poids de l'apprentissage, le poids des règles, n'était rien. Les règles me promettaient la liberté, si seulement je les absorbais toutes. Mon application de bonne petite fille, ma sagesse d'avant la rébellion sont venues à mon secours.

Le français était pour moi à la fois l'eau et l'air. L'eau pour étancher une soif pourtant infinie, l'eau du bain de langue – ce n'est pas pour rien qu'on parle de « cours d'immersion » –, mais aussi l'air pour ouvrir les poumons comprimés, l'air de l'envol.

J'ai commis des erreurs en parlant ou en écrivant, mais jamais deux fois la même. Chaque fois, j'éprouvais comme une décharge électrique qui m'évitait de les répéter.

Je n'ai pas retenu mes bêtes erreurs grammaticales ou syntaxiques, mais je me rappelle certaines méprises lexicales. Par contamination de l'anglais, j'ai cru qu'*à la dérobée* signifiait « sans vêtements » *(disrobed),* j'ai associé le mot *célibataire* à « liberté » et non à « célibat », et dans l'expression *à l'instar de,* lue chez Proust, j'ai vu, à tort, une étoile. Ces croisements m'attendrissent encore, ancêtres peut-être des jeux de mots bilingues qu'on aimera tant, par la suite, en famille.

Ma nouvelle langue était maternelle, mais je l'éprouvais comme mon amoureuse, ma sœur. Elle naissait pour moi en même temps que je naissais à elle, nous étions jeunes et fortes, toutes les deux. J'explorais son corps, tremblante et ravie, je la suçais comme un bonbon, je la faisais rouler entre mes dents, elle glissait, bienheureuse, avec un goût de pain frais et de pêches et de paradis trouvé.

Bien sûr, elle n'était pas sans embûches. Elle était la glace – et aussi, au début, l'eau noire qui clapotait en dessous – et moi la patineuse qui tombait, se relevait et qui, un jour, a commencé à glisser sans effort. Je la faisais mienne et il y avait, au moment de parler, une émotion si grande que ma voix tremblait parfois du seul bonheur de m'approcher d'elle.

La grammaire s'est mise à nu, les mots se sont multipliés, et après les phrases de la littérature anglaise que j'avais en moi sont entrés des fragments de littérature de langue française. *La fille de Minos et de Pasiphaé, Ah! comme la neige a neigé! Longtemps, je me suis couché de bonne heure, Il y a certainement quelqu'un qui m'a tuée...* Ce qu'il fallait pour forger une nouvelle voix.

* * *

C'est parce que ma langue maternelle m'était étrangère que j'ai dû en acquérir une autre.

Mais alors, qu'est-ce qu'une langue maternelle?

Tout le monde le sait, ou croit le savoir : la langue maternelle est celle qu'on a apprise sans travail avant de savoir ce qu'apprendre et travailler veulent dire, celle qu'on a avalée en bloc, sans s'en apercevoir, avec le Pablum et le lait maternel, avec le *rockabyebaby* et le *cowjumpedoverthemoon*. Elle a coulé en nous, a été gravée sur notre peau, on ne peut pas ne pas la comprendre.

« Langue maternelle : première langue apprise à la maison dans l'enfance et encore comprise. » La définition, utilisée par Statistique Canada aux fins du recensement de la population, est simple alors que la réalité ne l'est pas. Dans mon cas, cette langue ne peut être que l'anglais; mais cette déclaration contredit ma définition essentielle de qui je suis, fondée sur mes deux langues maternelles. Le recensement ne permet pas non plus à mes enfants, jetés dans un double bain linguistique dès la naissance, de déclarer deux langues « premières ».

Paradoxe : si j'avais réussi, comme je le voulais au début, à laisser l'anglais derrière, je pourrais déclarer le français comme ma première langue dans le formulaire du recensement. C'est l'ignorance autant que la connaissance qui « fait » la langue maternelle. Cette vision fonctionne par soustraction et non par addition ; on peut « changer », mais non cumuler. Pour ma part, je voudrais ne plus jamais avoir à choisir. Inversement, et ce fait me trouble beaucoup, si on a oublié sa langue première, on peut en avoir une autre : des années de mots pourraient cesser d'exister, mais où iraient-elles ? Ce qui est second peut donc « devenir » premier par la puissance de l'oubli, ce qui a coloré les jours peut être balayé, anéanti.

Selon le *Grand Robert,* plus ouvert, la langue maternelle peut être également celle de la « mère patrie ». On donne l'exemple suivant : « Un Français dont les parents d'origine étrangère ne parlent plus que le français pourra fort bien considérer comme sa langue maternelle une langue qu'il ignore, celle que parlaient ses ancêtres lointains, si, affectivement, il ne se considère pas comme Français. » Voilà l'exact contraire de la logique du recensement, selon laquelle on peut cesser d'avoir une langue première qu'on ne parle plus : pour le *Grand Robert,* on peut avoir une langue maternelle qu'on n'a jamais parlée si on ne reconnaît pas la sienne comme telle. Je m'en découvrirais une de ce genre, mais seulement beaucoup plus tard.

Georges Duhamel (cet exemple me vient encore du *Grand Robert*) affirme qu'on doit demander au polyglotte non pas en quelle langue il pense, mais en quelle langue il souffre. « Celle-là, c'est la vraie, la maternelle », dit-il. Je souffre dans la langue dans laquelle on m'a blessée.

Quelle que soit la définition, en tout cas, le français ne peut pas être ma langue maternelle officielle. Au recensement, je dois cocher la case de l'anglais, ou plutôt cette case me coche, me classe définitivement.

Mais toute ma vie a été un combat contre les classements définitifs. Contrairement à la sagesse populaire, j'aurais dix ans avant d'entendre parler ma deuxième langue maternelle. Contrairement à la logique du recensement, cette langue était inconnue de mes parents. Contrairement à l'exemple du *Grand Robert*, je changerais de langue maternelle non pas pour retrouver une patrie perdue, mais pour m'en inventer une. Par loyauté envers l'avenir, et non le passé.

On pourrait aussi parler de langue natale, la langue dans laquelle on est née (ou dans mon cas, renée). Ou encore de langue d'adoption : « qu'on reconnaît pour sienne ». J'ai reconnu le français pour mien.

*   *   *

C'était tout sauf une décision pragmatique, intéressée, calculée, même si beaucoup étudient une langue pour des raisons pratiques. Sur Facebook, je vois une affiche vantant « les bienfaits d'apprendre une langue seconde : *Money, intelligence, travel, love!* Gagnez davantage ! Soyez plus futé ("95 % des personnes son-

93

dées pensaient qu'apprendre une langue seconde leur donnerait des capacités mentales supérieures") ! Économisez de l'argent en voyage et faites-vous des amis ! » Et, le comble : « *Bilingual people are sexy !* » (Je connais des personnes unilingues des plus sexy et des personnes bilingues qui le sont moins qu'une serpillière, mais chacun ses goûts.) « Les langues servent », « le bilinguisme, c'est utile », « apprendre une langue étrangère vous enrichit » ; dans mon cas, cette sagesse est radicalement à côté.

Mon besoin à moi était purement existentiel : je devais devenir une autre. Et pour y parvenir, j'avais besoin d'une autre langue. Je la parlerais parfaitement, la langue des Leduc, jusqu'à faire illusion, ou plutôt jusqu'à ce que l'illusion soit vraie. Jusqu'à *passer* : passer outre, outrepasser toutes les règles, y compris, au besoin, la loi de la gravité. Ma langue maternelle était un lourd boulet. Avec l'autre, rien n'aurait de poids. L'état d'apesanteur, en somme.

Le français était pur futur, pure énergie. L'anglais était mon visage honteux et faux, le français, le masque qui finirait par devenir peau.

De la folie, au fond : j'ai travaillé de toutes mes forces pour devenir unilingue dans une autre langue que celle que j'avais déjà. Comble d'ironie, je quittais la nouvelle *lingua franca* mondiale que beaucoup rêvent de posséder.

*   *   *

À vingt et un ans, je suis enfin partie loin. (Pas aussi loin que j'avais pensé, pas à Paris, je raconterai cela après, mais c'était tout de même un autre monde.)

Après le cosmopolitisme de Toronto, où j'avais fait ma maîtrise, Québec, entre ses vieilles demeures et le fleuve que j'avais sous les yeux tous les jours, était uniformément, massivement francophone. Cette omniprésence me convenait : je ne voulais plus entendre l'anglais.

C'est là, je crois, qu'est née pour moi une honte à parler anglais en public, que je n'ai perdue que quand je me suis mise à sortir avec mes enfants. Et encore, en voyage, je parle ou baragouine la langue locale chaque fois que je peux, l'hégémonie de l'anglais me gêne.

Je ne voulais pas qu'on dise de moi : comme elle parle bien français (sous-entendu : pour une étrangère). Je ne voulais pas être une étrangère. Je voulais, enfin, être quelque part. D'où la nécessité de parler français sans accent (sans accent étranger, je veux dire ; toute langue est une mosaïque d'accents) : pour ne pas être considérée comme une *étrangère*. À défaut, ma voix resterait contaminée par l'ancienne, et chacun pourrait « entendre » mon échec à devenir *autre*.

Québec, je le découvrais peu à peu, n'était pas du genre à m'accepter sans questions. Pas avant que je change de nom, en tout cas. Avant de connaître mon nom de famille, on ne « voyait » pas ma différence ; après, on ne voyait qu'elle. *Comme ça, le français n'est pas ta langue*, disait-on, fier d'avoir détecté l'imposture. *Comment ça, pas ma langue ?* Comment répondre que je l'aimais au moins autant qu'eux, « leur » langue, que je lui avais consacré, à coup sûr, plus d'heures de travail qu'eux, que c'était un choix chargé d'amour et non un accident de la naissance? Seule la naissance comptait à leurs yeux.

Aux étrangers, je l'ai dit (et on était déjà étranger si on venait d'une autre région du Canada), on demandait : *D'où est-ce que tu viens? Et quand est-ce que tu y retournes?* C'était la ville de la *pure laine*, de l'esprit de clan *tricoté serré*, du « nous » et du « eux » bien tranchés. J'aime l'obstination des Québécois à vivre en français en Amérique du Nord et j'ai fait ma part pour les imiter, j'admire certaines fidélités, je comprends les doléances anciennes et actuelles, en grande partie je les ai faites miennes. Quand je vivais encore à Kitchener, j'insistais pour acheter mon billet de train en français parce qu'à la gare un écriteau proclamait le bilinguisme de Via Rail. Les employés du guichet me regardaient avec une incompréhension totale, mais quelqu'un finissait toujours par m'aider.

Et à la question qu'on m'a posée jusqu'à ce que je change de nom, je ne pouvais que répondre : *Je n'y retournerai jamais.* Et c'était vrai : il n'y avait rien pour moi, là-bas, il n'y avait jamais rien eu.

Je me méfie des hiérarchies des langues : j'ai déjà entendu quelqu'un dire *Celui-là ne parle rien* à propos d'une personne très cultivée qui maniait l'arabe, le turc et l'arménien. Au secondaire, « La dernière classe » d'Alphonse Daudet, histoire d'une victoire militaire allemande qui entraîne l'interdiction d'enseigner le français à l'école en Alsace, m'avait émue ; j'étais nouvellement amoureuse du français, et tout éloge qu'on en faisait me remplissait de joie. (Je ne savais pas encore que c'était l'histoire de la région natale de mes ancêtres, que ces tiraillements avaient aussi touché les miens.) Mais si l'interdiction d'une langue me révolte (une connaissance me raconte s'être fait sermonner pour avoir parlé français dans la rue, à Gand, avec sa petite fille), je suis troublée, en relisant « La dernière classe » aujourd'hui, par les mots « c'était la plus belle langue du monde, la plus claire, la plus solide ». Toutes les langues sont belles, précises, lumineuses, toutes les langues sont horribles, cruelles, violentes : toutes sont chant suave ou aboiement sauvage, ce sont les bouches qui les transforment.

*   *   *

Des années plus tard, un douanier américain, à Montréal, regarde mon passeport et me dit : *You don't sound like a person from Kitchener.* J'ai éclaté de rire : *Are you saying I talk funny?* Il rit à son tour, petit moment sympathique.

Je suis surprise, vaguement flattée : j'ai réussi à partir pour de vrai.

*   *   *

Toutes les langues sont « apprises », la langue maternelle autant que les autres ; toutes les langues sont aussi précaires que la civilisation, que la vie même. Le simple fait de parler est miracle, prodige. On le voit au début de la vie, quand l'enfant entre peu à peu dans la communauté des parlants, d'abord avec des vocalises, puis des mots isolés – les noms des choses qu'il désire –, puis avec de petites phrases primitives. Là, tout est promesse rieuse. On le voit à l'autre bout de l'existence, quand les vieux commencent à oublier ou à confondre les mots, voire sombrent dans l'aphasie. Mon beau-père dit *J'ai mal ici* en montrant sa gencive ; il a perdu le mot, mais la douleur subsiste.

On en est là quand on entre dans une nouvelle langue : à montrer les choses du doigt, à chercher le mot. À Berlin, j'ai mémorisé des expressions toutes faites, comment dire *pour emporter* chez le traiteur libanais, par exemple, mais je n'aurais pu répondre à aucune question. Par la suite, on ajoute, on construit, mais toujours avec le même sentiment d'un miracle : une autre phrase complexe et sans faute, un petit texte qu'on écrit, et on a l'impression d'être une funambule.

Je le sentais en français au début, je le sens encore de temps à autre en espagnol, parfois, curieusement, je le sens en anglais aussi.

*   *   *

Quand on commence à apprendre une langue, le monde redevient neuf, sans nom, puisque les mots que vous avez déjà ne correspondent plus. On revit l'Éden, ou le Macondo de García Márquez dans *Cent ans de solitude* : « Le monde était si récent que la plupart des objets n'avaient pas de nom et pour les désigner il fallait les montrer du doigt. »

Les unilingues oublient facilement ce que Saussure appelle « l'arbitraire du signe » ; ils pensent qu'une chose et le mot qui la désigne correspondent naturellement, depuis toujours et pour l'éternité *(If English was good enough for Jesus Christ, it's good enough for the children of Texas).* Apprendre un nouveau mot pour dire la même chose leur semble inutile, voire absurde.

Bien sûr, l'écrivain unilingue éprouve aussi les limites de sa langue, mais non par rapport à une autre ; pour l'unilingue, ces limites sont plutôt liées aux émotions, à la pensée, au monde qui dépasse et déborde la langue, qui est au-delà et en deçà d'elle. Si on a plus d'une langue, l'expérience du passage est autre ; quand le mot est différent parce que la langue a changé, la chose se mue, elle aussi : les choses coulent, comme les mots, comme les rivières.

Commencer l'apprentissage d'une langue, sortir des eaux amniotiques de la sienne pour aller vers cette autre où on ne sait pas encore *dire,* c'est faire une expérience radicale de la distance entre le mot et la chose. Vous avez dans la tête – mais c'est inutile de le laisser franchir vos lèvres – le mot de votre langue maternelle, mais pas encore l'autre. La chose flotte, sans nom, elle attend d'être nommée par votre geste hésitant, inaugural. Le monde renaît, un mot à la fois, et vous aussi.

Si les interlocuteurs s'impatientent parfois, les langues sont infiniment patientes : elles attendent en nous offrant l'immense réservoir des mots qui n'existent pas encore pour nous, nouveau-nés de la nouvelle langue, mais que nous allons bientôt découvrir. Cette innocence, perdue dans la langue première, fait que chaque nouveau mot est magique, comme fraîchement formé, et nous aussi. On est au matin du monde, et notre potentiel est infini.

*   *   *

Nous sommes encore très jeunes lorsque nos capacités de reproduction des sons se figent. Et nous voilà casés dans une boîte pour l'éternité, avec un nombre fini de lettres et de phonèmes et de mots. Finis. Figés, fixés, classés. Repousser ces limites a été le combat de ma vie. Je l'ai fait avec le français, très jeune ; je le referai, à l'âge mûr, avec l'espagnol.

*   *   *

J'aime qu'on me demande : *Au fait, vous êtes anglophone ou francophone ?* Si on n'arrive pas à le savoir en m'écoutant, c'est que j'ai réussi.

Mais comment y suis-je parvenue, là où tant d'autres, dans les mêmes circonstances, ont échoué ?

La prédisposition existe, bien sûr : j'avais de l'oreille, une bonne mémoire, ce qu'on appelle un don pour les langues. Mais l'essentiel n'est pas là. Si on ne tombe pas dans la marmite à la naissance, on peut tout de même se mettre dans le bain par la suite, j'en suis la preuve parlante. Rien n'est plus simple, rien n'est plus exigeant : il faut vouloir avec passion, travailler sans relâche, lire et retenir, enfin fréquenter, dès qu'on peut soutenir une conversation, des locuteurs natifs. Laisser derrière, le plus complètement possible, sa propre langue.

Vouloir, surtout. Mes camarades de classe au primaire et au secondaire, et même à l'université, ne voulaient pas, ou pas vraiment, ou très mollement *(Ce serait bien de parler français)*. Être doué pour les langues, c'est surtout être doué pour *vouloir*. Motivation, volonté, énergie : j'étais très, très douée, j'étais désespérée.

Vouloir est la clé, mais il ne suffit pas de vouloir. *Tu as tellement de chance d'être bilingue* est une phrase qui m'horripile. La chance n'y est pour rien, le travail y est pour tout.

La langue doit entrer en vous, par les oreilles et les yeux, sortir par la bouche et la main, sans relâche. Copier, mémoriser, lire pour saisir les formes, les tournures, les manières naturelles de dire. La littérature, pour moi, a été la voie royale, la meilleure. Et si je suis si forte en orthographe, c'est parce que, fidèle à mon habitude, je voyais les mots imprimés flotter dans les airs.

Fuir les cours de groupe, où on attrape par contagion les erreurs des autres. Rencontrer des natifs, calquer leurs intonations, adopter leurs expressions, pour ensuite trouver sa propre voix. Passer d'une langue de papier – les listes de verbes de Miss Scott – à une langue habitée, une langue qui fait corps avec nous, ou nous avec elle. C'est de là que l'aisance vient, c'est là que l'accent peut se perdre.

Mais pour y arriver, il faut laisser sa langue derrière. Littéralement si on le peut, par un séjour dans le pays de cette langue : voilà pourquoi l'apprentissage des langues, comme toute chose, comporte sa dimension de classe. À défaut, abandonner sa langue maternelle dans sa tête, pour entrer dans la manière de dire de l'autre. Deux fois par semaine, un Américain de cinquante ans vient au Barbieri suivre un cours d'espagnol avec une professeure particulière. Il ne fait aucun effort pour imiter l'accent ou même modifier ses intonations. Il dit une phrase en espagnol et la traduit aussitôt, comme si elle n'était réelle que par le truchement de l'anglais : *hace mucho frío, it's very cold*. Il ne veut rien savoir de l'esprit de la langue, du fait, par exemple, que le pronom sujet n'apparaît pas dans la plupart des phrases espagnoles (*soy*, et non *yo soy*). Bref, il est collé à l'anglais, à la manière de l'anglais, et refuse de s'en séparer. Cet homme-là, je vous le dis, n'apprendra jamais l'espagnol.

Enfin, un dernier secret : la meilleure manière d'avancer dans l'apprentissage, c'est d'avoir la langue en bouche constamment, même si on doit s'entretenir avec soi-même. Quand j'apprenais le français, je le parlais sans arrêt à voix basse dans la rue. De retour à la maison, je cherchais dans les dictionnaires les mots qui m'avaient manqué durant la promenade. Je m'y suis remise avec l'espagnol, bien des années plus tard, seule façon de se jeter à l'eau des mots, de courir le risque de la phrase. C'est ainsi qu'on passe des formules toutes faites (« Voilà la famille Leduc ») à des formes assumées et personnelles, qu'on apprend à jouer librement avec le grand corps de la langue. Quitte à avoir l'air de la folle qu'on est peut-être, de la folle des langues qu'on est à coup sûr.

*   *   *

J'ai voulu quitter l'anglais parce qu'il y avait trop de choses que je ne pouvais pas dire. Je ne pouvais pas utiliser certains mots pourtant ordinaires : *body, woman* (*man*, oui, *girl* ou *boy*, oui, mes parents disaient toujours *ladies*), *desire*. Le plaisir, le corps, les sens, pas seulement sur le plan sexuel, étaient tabous. Plus tard, je connaîtrais Nicole, une Québécoise qui donnait des cours de conversation française à l'université et, en me servant une simple petite salade, elle me dirait : *Régale-toi*. À cette époque, dans mon milieu, on ne parlait pas de « se faire plaisir », la notion même était bizarre. Se souhaiter « bon appétit » était impensable. On s'installait, à la rigueur on disait les grâces, puis on attaquait sans un mot. Au restaurant – dans ceux, plutôt modestes, que nous fréquentions, en tout cas –, on ne disait pas encore, comme on le ferait partout par la suite, *enjoy*. Aujourd'hui, je vois que ces impossibilités étaient liées à ma classe sociale et à ma famille, mais à l'époque, je les mettais sur le compte de la langue anglaise elle-même et je suis partie jouir ailleurs.

Je m'imaginais qu'une nouvelle langue me donnerait des idées neuves parce qu'elle me transformerait en une *autre*. La possibilité d'être polyglotte et de n'avoir rien à dire ne m'a pas effleurée. Je faisais le saut, comme Indiana Jones qui enjambe l'abîme en misant sur un pont qu'il ne peut voir, un pont que lui-même crée en s'élançant. Je voulais laisser derrière moi celle que j'étais pour devenir meilleure, vraie, devenir celle que je devais être. Je croyais que je trouverais mon identité, deviendrais *une*. (Plus tard, je comprendrais que l'unité n'était pas mon vrai but, mais, entre mon adolescence et la fin de mes années à Québec, je l'ai cherchée avec passion.)

*   *   *

Peu à peu, je suis devenue une femme instruite, en français. Mon changement de langue est inséparable d'un changement de classe sociale.

Le français est la langue de mon apprentissage du savoir. Les pères diplomates et les mères astronomes, les écrivains et les peintres qui viennent manger à la maison, les pièces pleines de tableaux et de livres, je ne connais pas. C'est à la bibliothèque municipale, vers treize ou quatorze ans, que j'ai vu un auteur pour la première fois : une petite femme souriante d'environ soixante-dix ans, célèbre dans la région pour un livre de recettes mennonites.

Ma mère avait ce livre, j'en ai hérité, du reste. Moi, je devais aller là où mes parents ne pouvaient pas comprendre, pour ainsi dire un autre pays, un autre langage, même avant de changer de langue. Une autre planète, étrange et un peu suspecte.

J'apprivoise des mots que personne de ma famille n'a jamais prononcés en aucune langue : *épistémologie, synecdoque, patriarcat.* J'apprends à les dire avec naturel, comme si je les avais entendus toute ma vie.

Mes parents et, je crois aussi, ma sœur, ont vécu et sont morts sans jamais mettre les pieds dans un musée d'art. Je les ai jugés sévèrement pour cette raison. Maintenant, je pense aux barrières qui font qu'on n'entre pas dans certains endroits, même si la porte en est ouverte.

*   *   *

J'avais enfin quitté Kitchener, j'étais partie faire ma maîtrise à Toronto, cette ville à laquelle aspiraient tous les amis *différents* du secondaire. Mon amour des grandes villes y trouve sa première satisfaction. Un métro, des quartiers chinois, grec, italien, polonais, des musées, des cinémas, des cafés qui ouvrent tôt, des librairies qui ferment tard et moi, poussière mobile, je m'y promène, heureuse.

Sans aide, et notamment sans celle d'un professeur qui me recommande pour une bourse de maîtrise – à cette époque, sur la foi d'une seule lettre, on obtenait une entrevue –, je n'aurais jamais fait d'études supérieures. À peine si je savais qu'elles existaient ; elles n'étaient pas pour nous, en tout cas. Au premier cycle, je sens encore le poids de notre milieu : je me suis établie en appartement, je me remplis de mots et d'idées, mais je travaille dans une buanderie d'hôpital, un travail dur, salissant, malsain, les heures les plus longues de ma vie, allongées par cet ennui pesant dont je parlais dans l'album des finissants du secondaire. Les contremaîtres nous surveillent de près, je suis lente et maladroite, mais je ne peux pas me permettre de perdre cet emploi. Les femmes qui y travaillent en permanence – beaucoup d'immigrantes – détestent et rudoient celles qui sont de passage. Pour la première fois, je ne suis plus une enfant de la classe ouvrière ; j'ai traversé une frontière, je suis tout autant leur ennemie que si mes parents étaient médecins.

Chaque minute de travail dure cent heures, mais je persiste, je résiste, il le faut. Dans mon journal (c'est la dernière année où j'en tiendrai un), j'écris : « C'est la colère qui me maintient en vie. La colère est précieuse, elle donne l'énergie, le feu. Un jour je réduirai l'hôpital en cendres avec ma seule colère. »

C'est cette fureur calme qui m'a conduite sur tout le chemin de ma vie.

*   *   *

Une clé est une chose petite mais puissante. Les langues sont des clés.

La terre, la richesse, les emplois, la nourriture existent en quantité limitée ; les langues sont inépuisables, infinies. Personne ne peut vous interdire d'en apprendre une nouvelle. Et une langue ne peut avoir trop de locuteurs : plus les gens l'apprennent, plus elle vit et rayonne. Mais là où on survalorise le sol, la naissance, le sang pur, on défend aussi « la langue de nos ancêtres » contre ceux qui « ont un accent incompréhensible », ces barbares qui « parlent bizarre ».

Les langues n'ont pas de confins, on n'« arrive » nulle part ; il suffit de se laisser porter par elles, de voguer sur leurs flots. Les langues sont des espaces, et c'est là que commencent le jeu, l'écriture.

*   *   *

Beaucoup éprouvent, dans une langue autre, l'impossibilité de dire exactement ce qu'ils veulent dire. Moi, c'est en français *surtout* que je peux dire ce que je veux dire, que j'ai trouvé ma manière propre. C'est du français que jaillit mon écriture.

Plusieurs écrivains – une minorité infime, tout de même – écrivent dans une autre langue, une langue dite étrangère, parfois avec jubilation, parfois avec une vive souffrance : Conrad, Julien Green, Beckett, Ionesco, Nabokov, Isak Dinesen, Agota Kristof et quantité d'exilés et d'immigrants contemporains, dont Aleksandra Lun, une Polonaise qui écrit en espagnol et dont j'ai traduit le premier roman, histoire d'un Polonais enfermé dans un hôpital psychiatrique pour le guérir de sa manie d'écrire en antarctique. Pour ma part, je ne décrirais jamais le français comme une langue étrangère, il est aussi mien que mes mains ou ma respiration, il est *moi*.

*   *   *

Alors que les chercheurs francophones rêvent de pouvoir écrire en anglais – là est le prestige, là est le lectorat qui compte –, j'aurais pu le faire et je m'en privais. Dix ans se sont écoulés, parfois, entre deux articles ou deux communications en anglais.

Et c'est le français qui est ma langue littéraire, la langue dans laquelle je me suis réinventée en tant qu'écrivaine. L'anglais, pour moi, est tout fait, moins frais, plus terre à terre, donc moins propre à l'envol. Moins réel, en quelque sorte, et en même temps *trop* réel. En français, je joue tout naturellement – mais j'ai beaucoup travaillé pour atteindre ce naturel – avec les sonorités, les sens propres et figurés, la poésie de la langue. Entre mes mains, l'anglais bouge moins, vit moins.

Adolescente, j'ai écrit mes premiers textes de fiction en anglais ; la dernière fois, c'était en deuxième année à l'université, une nouvelle dont j'oublie le titre anglais, mais qui en français s'appelle « Sauf moi ». Après, à de très rares exceptions près, le français est devenu ma première, mon unique langue d'écriture.

*　　*　　*

En première année à l'université, je me plonge dans un grand bain de langues. Une session d'allemand. Dans le manuel, les phrases sont dessinées comme des trains pour expliquer l'ordre des mots, très codé, et j'aime cette mathématique des langues. Mais je m'y prends sans doute trop tôt dans ma vie, et trop tard :

trop tard pour bien assimiler la langue, trop tôt pour sentir le désir profond de l'apprendre. Je laisse rapidement tomber.

Trois sessions d'italien. Mon professeur loue mon accent « très pur », tous les autres parlent ou ont entendu parler un dialecte, et moi qui n'ai pas de passé dans cette langue, j'apprends le « vrai » italien. Je suis aussi deux ou trois cours de littérature espagnole, avec des professeurs sans inspiration.

Dans l'une des dernières entrées de mon journal intime, j'ai écrit : « Lectures en allemand, en français, composition italienne. Étourdissement des langues. J'ai trouvé mon monde. »

Puis je laisserai toutes ces langues en rade, à part le français.

Imparfaitement bilingue

Si vous parlez plus d'une langue, vous êtes plus d'une personne.

* * *

La langue est une mère, on baigne dedans.

Avant de naître, on entend déjà des voix, des rythmes.

Puis on quitte les eaux tièdes de l'utérus pour l'air cruel et tranchant : une gifle et on atterrit pour vrai dans le bain linguistique qui remplace le liquide amniotique. Je l'ai déjà dit, j'ai jeté l'eau du bain pour ne plus être le bébé de cette langue-là.

La plupart des vrais bilingues nagent entre deux eaux depuis le début, doublement enveloppés, bercés, caressés. Deux séries de mots et de phrases pour la même chose pleuvent sur la petite créature à peine née, et pourtant elle arrivera, mine de rien, à les démêler et à les reproduire.

* * *

On entend beaucoup de gens dire : *Je suis parfaitement bilingue.* L'optimisme ou l'exagération jouent fréquemment ici ; la « perfection » n'est souvent que compétence relative.

Pour ma part, je ne dis pas que je suis bilingue, et encore moins « parfaitement bilingue » : je ne me reconnais pas dans cette description, cependant exacte. Depuis que j'ai refait une grande place pour l'anglais dans ma vie (sans parler de l'espagnol), mon expression de toujours, *changer de langue,* ne convient plus. Interrogée, je préfère dire que j'ai deux langues maternelles, ou que je suis trilingue, selon le contexte. En moi-même, je ne me pose pas la question, je me contente de flotter dans toutes mes eaux linguistiques.

*　　*　　*

De toute façon, on est toujours *imparfaitement* bilingue. Les langues ne peuvent pas être rigoureusement égales en nous : ni pour les compétences, ni pour les associations, ni pour les affects. Une langue peut être favorisée dans certaines situations, plus forte dans certains domaines du savoir, plus apte à exprimer ce qu'on considère comme sa vraie nature. Mais au fond, comment le savoir, puisque notre vraie nature n'existe pas en dehors de la langue ?

*　　*　　*

Une langue est un chez-soi (on peut difficilement être chez soi à Tokyo sans parler japonais), c'est aussi un soi. Si on parle plus d'une langue – si on en possède une connaissance approfondie, bien au-delà de la simple capacité à baragouiner une commande au restaurant –, on est plus d'une personne.

Certains ont un bilinguisme historique : ils ont laissé derrière eux un pays en mettant aussi une croix sur sa langue, ou alors ils parlaient une langue avec leurs parents, dont le tombeau est aussi celui de cette connaissance partagée. D'autres ont un bilinguisme saisonnier : une langue pour toute l'année, l'autre pour les contacts dans le pays de leur maison de vacances. D'autres encore naviguent entre plusieurs langues au quotidien, mais en les maintenant séparées : une langue avec ses parents, une autre avec son conjoint, une troisième au travail. Une collègue indienne récite la longue liste de ses compétences et de ses contextes linguistiques, et termine par : *Et le konkani pour parler avec la bonne.*

Il y a des bilingues dont les deux langues sont étanches. J'ai une amie qui, pour traduire la phrase la plus simple, doit reconstituer mentalement la situation dans laquelle elle la prononcerait. Son décalage peut être de trente secondes, voire de quelques minutes. Elle aurait du mal à être traductrice, et *a fortiori* interprète, malgré ses deux langues maternelles. D'autres bilingues – les traducteurs, les interprètes de conférence – vivent en permanence dans l'entre-deux. Pour les interprètes, toute l'astuce consiste à avoir une langue dans la bouche et une autre dans les oreilles, deux fleuves qui coulent en parallèle toute la journée, et à ne jamais les mélanger.

Comment se fait-il d'ailleurs qu'on ne confonde pas les langues en parlant et en écrivant? (Dans des cas d'extrême fatigue, j'ai entendu les mêmes collègues interprètes – et ça m'est arrivé aussi – répéter une petite phrase dans la langue d'origine au lieu de la traduire comme toutes les autres, avant de se reprendre, horrifiés : ils avaient failli à leur tâche de *séparer,* donc de traduire.) Il y a des gens qui mélangent deux langues parce que leur langue maternelle, minoritaire, est squattée par une langue dominante, d'autres qui le font par jeu, pour le pur plaisir des passages.

* * *

Tout le monde a une langue maternelle, ou presque. Pourtant, certaines personnes, malgré une intelligence de normale à supérieure, ne réussissent jamais à maîtriser les structures grammaticales de la langue. Elles parviennent à se faire comprendre, mais n'intériorisent jamais le vaste système qui permet de parler couramment et correctement sans trop y penser. Tout comme il existe des gens incapables de percevoir le vert ou de distinguer entre deux tons en musique, d'autres sont incapables d'avoir une vraie langue maternelle. Mais ce mal est rare.

* * *

Le bilinguisme, oui, est toujours imparfait.

Au café Rostand, à Paris, une jeune Roumaine converse toute la soirée avec un Américain dans un anglais fluide, idiomatique, presque sans accent. Mais elle demande le sens de plusieurs mots ou expressions assez faciles, et fait deux ou trois erreurs élémentaires, comme *Will you borrow to me that book some time?*

Au Café de la Mairie, j'entends un Américain raconter au serveur qu'il prépare un examen de français. Il doit le réussir pour obtenir sa carte de séjour. Le serveur dit : *Ah bon, je ne savais pas que ça se passait comme ça,* et l'autre, malgré un français assez bon, répond complètement à côté : *J'espère, mais je dois travailler fort.*

*   *   *

Si vous parlez plus d'une langue, vous êtes plus d'une personne. Par tempérament et par affinité, je fréquente un grand nombre d'êtres dans cette situation.

Kriton est grec, son ami Carlos, espagnol, mais chacun parle parfaitement la langue de l'autre. Ils se parlent espagnol à Madrid, grec à Athènes. C'est la plus belle histoire que j'aie recueillie sur la langue comme ouverture à l'altérité. Dans la même veine, Lawrence connaît des gens qui ont l'anglais, le français et l'espagnol comme langues presque maternelles, mais qui parlent russe à la maison parce qu'ils se sont rencontrés à Moscou.

Presque tous les bilingues ou multilingues que je connais se disent différents selon la langue. Kriton est plus aimable en espagnol, plus sociable, dit-il. Carlos s'affirme moins en grec parce qu'il manque un peu d'assurance. Mónica, Française d'origine argentine, parle français même à sa petite chienne, le français ayant été la langue de la maison et de l'amour avec son mari maintenant décédé, et ne se reconnaît qu'imparfaitement dans l'espagnol d'aujourd'hui. Maria, élevée en France, visite peu souvent l'Espagne de ses parents : son espagnol s'est cristallisé il y a longtemps, et comme elle a accédé à la grande culture à l'école française, elle a des trous dans sa première langue en plus d'avoir perdu l'accent de son prénom. Lawrence sent que son moi espagnol est plus zen que son moi originel new-yorkais, nerveux jusqu'à la névrose. Carine, française, a l'impression, quand elle s'écoute parler anglais, de jouer dans un film doublé. Katarina, très jeune, éprouvant en suédois l'impossibilité d'être elle-même, a investi l'anglais et le français pour enfin se réconcilier avec sa langue maternelle. Aujourd'hui, elle décrit le français comme un vieux vêtement qu'elle a trouvé au fond d'un placard et qui n'est pas à sa taille ; mais après quelques heures de conversation, il commence à lui faire beaucoup mieux. Joséphine est allée vivre au Mexique à six ans avec ses parents français ; l'espagnol est la langue de sa première scolarisation, une langue de bonheur et d'émotion. Au retour en France, à onze ou douze ans, elle parlait français avec un léger accent, alors que maintenant, jeune femme, elle est triste de ne plus rêver en espagnol. Parisienne établie à Londres, Juliette vit entre le français, l'espagnol, langue de son mari, et l'anglais : *Je suis plus vivante et plus libre en anglais, parce que ce n'est pas ma langue.* Ses filles sont devenues des Londoniennes qui jouent en anglais.

Anton, fils d'Allemands vivant en Italie, raconte qu'en allemand il est plus sérieux, en italien, plus ludique, plus dansant. C'est la langue qui le permet, dit-il. Mais ces facettes de lui existeraient-elles indépendamment de la langue ? Aurait-il investi les deux s'il avait parlé juste allemand ou juste italien ? En somme, est-ce que la langue « crée » certaines parties de nous ? *Bonne question,* répond Anton, qui semble ébranlé. Il est vrai que ces questions sont vertigineuses.

Es-tu différent quand tu changes de langue ? Nicolas affirme sans réfléchir : *Oui, évidemment !* Puis il ajoute, étonné : *Mais j'ai du mal à t'expliquer en quoi.* La réaction est fréquente. Claire me raconte qu'elle est plus libre en portugais, son autre langue maternelle, ou en anglais, qu'elle parle pourtant nettement moins bien, qu'en français : moins policée, moins formelle. Elle prononce quelques phrases en portugais à ma demande, et son débit ralentit, sa voix devient plus grave, sa tête danse avec un mouvement rythmé que je ne lui avais jamais vu. Nicolas, après mûre réflexion, me raconte que son nationalisme québécois s'exprime mieux en français ; c'est donc une partie importante de son identité qui est étrangère à son autre langue pourtant maternelle. Le bilinguisme d'Anna est plutôt lié aux personnes : elle s'exprime dans la langue la plus forte de l'autre, et si elle parle anglais avec l'amie A et français avec l'amie B, les trois, quand elles se trouvent ensemble, choisiront la langue maternelle de la moins bilingue des trois, quitte à en changer de nouveau si cette personne part la première. Paul G., dont l'anglais est pourtant impeccable, déclare : *Parler anglais, c'est être à côté de moi, m'entendre et ne pas me reconnaître.* Pour Paul S., le professeur qui, à l'université, m'a fait découvrir et aimer la littérature québécoise, le français est inséparable de l'intellect et de la culture, alors que le yiddish est son lien tendre et complice avec les Juifs de l'Europe de l'Est, dont ses parents, maintenant disparus. Il parle le premier avec sa tête, le second avec son cœur : *Je ris et je pleure en yiddish plus intensément que dans les autres parties de moi-même.*

*   *   *

Et moi ? J'ai appris le français pour fuir l'anglais, fuir mon destin.

Quand je me fâchais contre mes enfants adolescents, j'entendais parfois dans ma bouche les accents de ma mère, et j'étais au désespoir. Si ma voix, aujourd'hui, me rappelle de loin en loin la sienne, je me réjouis de la sentir encore vivante en moi.

En français, je ne ressemble à personne. En espagnol non plus.

Mon anglais et mon français sont pour l'essentiel de même niveau – *whatever that means* –, mais avec des différences que je suis peut-être seule à percevoir. Par exemple, j'ai un vaste vocabulaire dans les deux langues, fruit d'innombrables lectures, mais comme j'ai fait toutes mes études universitaires en français, il y a des mots anglais recherchés que je n'ai jamais entendus et que je ne suis pas sûre de savoir prononcer. Mon anglais est clivé par la classe sociale, contrairement à mon français et à mon espagnol, produits de mes études et non de mon enfance.

*　　*　　*

Les voies qui lient la pensée et la langue sont mystérieuses. Quand j'essayais de parler allemand à Berlin, c'était l'espagnol qui sortait, peut-être parce qu'il demeure, de mes trois langues, la plus « étrangère » : au lieu de *ja*, je disais parfois *sí*, mais pas une seule fois *yes* ou *oui*. Par contre, à Madrid, lors de mon séjour d'écriture, je suis dans un café qui va bientôt fermer, et une employée vient m'enlever ma tasse. Elle me tire d'une concentration intense et, au lieu de l'espagnol, qui serait sorti automatiquement en temps normal, je sursaute et je dis : *Non, je n'ai pas fini !* Pourtant, j'étais plongée dans un article en anglais sur le bilinguisme, et répondre dans cette langue aurait été tout naturel. Petite preuve, parmi d'autres, que le français est devenu plus profond, plus fondamental, mieux enraciné que la seule langue que j'ai vraiment su parler jusqu'à mes seize, dix-sept ans.

*　　*　　*

Comme Paul S. décrivant ses rapports à l'anglais, au français et au yiddish, beaucoup parlent de « parties d'eux-mêmes » et non de langues différentes. C'est dire la profondeur des langues en nous et leur poids – ou leur légèreté – identitaire. Ce ne sont pas des outils ou des instruments. Elles sont mêlées à notre être, elles *sont* notre être.

Quand j'ai commencé le français, je le répète, c'était pour remplacer l'anglais. J'évacuais une langue pour en accueillir une autre. Je ne savais pas qu'il y avait de la place pour les deux, et plus encore. (Autre réflexe des gens de classe « modeste » : ne pas croire qu'on peut « avoir les deux », ne pas trop en demander.)

À propos de cette idée de « place » ou d'« espace », je me pose toujours la question : où les langues résident-elles en nous ? Au lieu des réponses scientifiques sur le fonctionnement du cerveau, je cherche des métaphores, des images.

Si on est unilingue, la langue est partout en soi, comme l'eau dans un vase. Elle n'a ni rivale ni amie. En un sens, on pense moins souvent à la manière dont on s'exprime avec elle, parce qu'on n'en a pas d'autre. Mais si on parle deux langues ou davantage, comment se partagent-elles l'espace ? Chacune occupe-t-elle la moitié de nous (le bleu d'un côté, disons, le jaune de l'autre), ou les deux sont-elles partout (le tout uniformément vert) ? La langue première recule-t-elle, change-t-elle au contact de la seconde ?

On pourrait s'imaginer que les deux ou trois langues qu'on connaît se trouvent côte à côte, comme sur un drapeau. Ou sont disposées en couches concentriques, en pelures, comme sur un oignon. On pourrait aussi les imaginer empilées comme des papiers sur un bureau, par strates archéologiques, la plus vieille au fond, ou en deux ou trois couches horizontales, comme un dessert en verrine.

Ou encore – et je penche pour cette théorie –, chaque nouvelle langue *crée* de la place, agrandit votre demeure, ouvre des voies jusque-là inimaginables. Comme le rêve d'un bibliophile qui, libéré à jamais de l'angoisse du manque d'espace, verrait apparaître, à mesure que sa collection prend de l'ampleur, des pièces nouvelles, des rayonnages illimités.

*   *   *

Des années durant, les années de Québec pour l'essentiel, j'ai laissé l'anglais largement de côté. Je ne le lisais pas et je ne l'écrivais surtout pas (je donnais tout de même des cours d'anglais élémentaire chez Berlitz), je fréquentais des francophones, je parlais toujours français. À Toronto, de 1988 à 1991, l'anglais a pris plus de place dans ma vie extérieure, j'ai travaillé avec fréquence comme interprète. Puis, en 1991, je déménage avec Paul à Montréal, et pour la première fois, nous vivons dans une ville bilingue.

On peut délaisser une langue, on peut la perdre si on en est coupé avant même de la parler, comme les enfants de l'adoption internationale, mais on ne peut pas décider un jour de l'oublier : elle est en soi comme la couleur dans l'eau du verre où le peintre trempe ses pinceaux, comme le sucre dans le gâteau, comme le sang dans le corps. Ce qui a achevé de me réconcilier avec la langue anglaise – et avec mes parents, puisque, sans être rompus, nos liens s'étaient affaiblis –, c'est la naissance de nos enfants.

Dans ma tête, j'étais inaugurale. Je ne pensais pas *me reproduire*. Je m'étais laborieusement donné naissance – c'est long, quand on est adulte – et je ne me voyais pas recommencer avec de petits êtres de chair. Avoir un enfant était pour moi un geste inséparable du passé, et je ne m'intéressais pas à la généalogie, seulement à l'avenir.

Mais Paul rêvait depuis toujours d'une famille, et je me suis laissé emporter, l'une des deux ou trois meilleures décisions de ma vie. Grâce aux enfants, les liens se sont rétablis, l'anglais a migré vers un espace différent, un espace de bonheur et d'avenir.

Le jour où nous annonçons la nouvelle de ma grossesse à mes parents, ma mère fond en larmes. Me prend la main, me demande, déjà inquiète au milieu de son ravissement initial : *Mais tu vas leur parler anglais, non? Je vais pouvoir parler à mes petits-enfants? I know you're such a Frenchie now, but you won't do that to us, will you?*

Je leur avais porté trop de coups déjà, je n'allais pas leur faire celui-là. J'ai promis que nos enfants parleraient anglais, et j'ai tenu promesse.

*   *   *

J'avais lu – certains spécialistes disent aujourd'hui tout à fait autre chose – qu'il n'y a que deux secrets pour transmettre à ses enfants deux langues ou davantage. Le premier et le plus important consiste à les compartimenter au départ : trois ou quatre langues en même temps si on veut, mais une langue par adulte, pour éviter la confusion. Puis, condition presque aussi importante, que les deux parents aient de la langue de l'autre une compréhension au moins passive ; sinon le sentiment d'exclusion risque de compromettre l'apprentissage. J'ai vu des échecs dans de tels cas.

Carine me raconte avoir voulu que le père de ses enfants leur parle en arabe – langue qu'elle-même ne connaît pas, ce qui n'a sans doute pas aidé –, mais qu'il n'a pas pu s'y résoudre, alors que des couples d'amis parlant deux langues européennes ont réussi à transmettre les deux. On ne prête qu'aux riches, et les ex-colonisés sont pauvres... Devant l'enfance de notre enfant, notre propre passé nous remonte à la gorge, et il arrive qu'il nous étouffe. Un bris dans la filiation, une langue considérée comme « inférieure », une blessure ancienne et la voix se tarit, le fil se casse. En amont, dans ma famille, il s'était cassé, je ne pouvais rouvrir cette plaie.

Moi qui avais lutté tant d'années pour me réinventer en français, j'ai dû devenir, pour mon fils à peine né, « la personne qui porte l'anglais » (seule solution logique, disait Paul avec raison, mais mon rapport à l'anglais échappait à la raison).

Tout au long de ma grossesse, j'avais fait des efforts, mais rien ne sortait. L'anglais n'était plus ma langue, je vivais dans un doux cocon de français, ne parlais anglais que dans la cabine d'interprétation et avec mes parents, au téléphone. Mais avec Nicolas à peine né, lové dans mes bras, j'ai pris une grande inspiration, les yeux baissés sur lui qui me regardait avec ces yeux tout neufs et déjà vieux qu'ont les bébés (j'ai toujours été convaincue que les enfants comprennent tout dès la première respiration) : *Well, sweetheart, here you are, welcome, I'll love you forever.* D'emblée, il aurait deux langues, deux mondes. Au début, j'en souffrais, je sentais que mes mots anglais manquaient de vérité ; ils ne faisaient pas le poids, mais en même temps ils étaient infiniment lourds et enterraient, détruisaient le français. Puis, peu à peu, ce sentiment a été chassé par les baisers et les rires et les mots d'enfant. Ma sœur, quelques années plus tard, a eu des enfants aussi, et nous avions enfin des sujets de conversation ; la relation avec mes parents s'est stabilisée, adoucie.

Les deux enfants ont dit leur premier mot en anglais : Nicolas, *light*, Anna, *duck*. Ou peut-être ai-je simplement retenu cette naissance et non celle du français, la naissance que moi, je leur avais donnée.

Ce sont les enfants qui m'ont guérie de mon radicalisme malsain par rapport à l'anglais. Qui m'ont rééquilibrée. Pour eux, l'anglais n'avait aucune charge négative. C'était une langue à la fois magique et ordinaire, leur langue avec moi, leur lien avec moi, l'exacte moitié de leur petit monde serein. Les heures passées avec eux bébés, puis enfants, sont parmi les plus douces de ma vie, notamment celles où je leur ai lu, à voix haute, après les *Cat in the Hat* et les comptines de

Mother Goose, tous les *Harry Potter,* les histoires de Narnia, *Alice au pays des merveilles,* les treize *Lemony Snicket* et quantité d'autres. Avec eux, jeunes adultes maintenant, j'aurais du mal à parler français, à cause des multiples sentiers qu'on a forgés, entre nous, en anglais.

*   *   *

J'aurais pu apprendre beaucoup d'autres choses si je n'avais pas consacré autant d'heures aux langues. Selon les sources consultées, en arriver à un bon niveau de communication dans une autre langue exige entre mille et quatre mille heures de travail, bien davantage si on veut acquérir une connaissance aussi approfondie que celle qu'on a de sa langue maternelle. Mes enfants, qui ont eu les deux langues d'emblée, ont donc reçu de leurs parents, en plus des connaissances linguistiques et des références culturelles qui les accompagnent, des milliers d'heures en cadeau, pour faire autre chose.

*   *   *

Nicolas, très jeune, a dit un jour : *Ce n'est pas grave.* Voyant que j'attendais la traduction, il a commencé : *It's not…* Puis il a cligné des yeux et a marqué une infime pause au cours de laquelle l'ange de la langue a dû passer. *It doesn't matter,* a-t-il dit d'un air à la fois important et modeste. Voilà ce que c'est que de tomber dans deux marmites dès la naissance.

*   *   *

À table avec de vrais bilingues en devenir, âgés de trois ou quatre ans, on leur demande, avec chaque nouveau mot ou expression : *Comment ça se dit en français, How do you say that in English?* Bientôt, ils nous prennent de vitesse et fournissent l'autre version avant qu'on la demande, en riant. Passages, parallèles, nous sommes une famille très *méta*.

À une époque, ils se plaisent à tout traduire, comme si leurs parents étaient unilingues. Nicolas, à cinq ou six ans, se tourne vers mes parents et leur dit une phrase ou deux en français, puis pouffe de rire et dit : *You didn't understand that, did you?* Même manège en anglais de l'autre côté de la famille. Il se trouve drôle, les grands-parents beaucoup moins ; Anna, plus petite, le rabroue et leur offre la traduction. Je crois qu'il fait des vérifications : il a du mal à admettre que des adultes si proches de lui ignorent ce que lui sait parfaitement.

*   *   *

Un jour, ma mère m'a demandé – l'idée que la langue occupe un espace matériel est donc bien répandue – où je mettais tous ces mots de français. *Tu n'as pas la tête un peu fatiguée ? J'ai deux têtes maintenant*, ai-je répondu à la blague.

Bicéphale, c'est plus que bilingue : comme si, en plus de deux langues, on avait deux cerveaux, deux voix, deux aisances, deux rapports au monde, voire carrément deux mondes.

L'image m'est restée. Je suis la femme à deux têtes.

*   *   *

J'ai passé beaucoup plus que la moitié de ma vie au Québec maintenant, dont vingt-neuf ans à Montréal, une ville qui « pense et souffre en deux langues », comme le dit Gabrielle Roy. En beaucoup plus de deux langues, bien sûr, mais la formule capte bien la particularité de Montréal. Paris, New York ou Buenos Aires sont traversés par d'autres langues, mais il existe une langue d'usage, une langue commune. Montréal est l'une des grandes villes bilingues du monde.

Dans certains quartiers, la transaction la plus simple commence par une infime hésitation : *Français ou anglais ?* Comment m'adresser à la personne en face de moi ? Comment la rencontrer, sur quel terrain ? J'essaie de deviner si la personne est anglophone ou francophone, et je poursuis dans sa langue.

Il y a eu un mépris historique : beaucoup d'anglophones maintenant âgés n'ont jamais appris le français, alors que les jeunes sont plus nombreux à l'apprendre. Montréal a connu ses guerres linguistiques, et des injustices demeurent, de nouvelles inquiétudes surgissent. Mais nous, les bicéphales, nous avons la chance de vivre notre double culture dans une ville où, en gros, les deux langues cohabitent en paix.

*   *   *

Convivir, live together, cohabiter. Dans ma tête se déroule, plus ou moins en permanence, une danse des langues, français, anglais, espagnol qui se mêlent. Mes conversations mentales, quand je marche, entretissent les trois. Chaque jour, je cherche un contact avec les trois : lecture, écriture, conversations.

En sortant un jour du café Barbieri, après une journée d'écriture, j'achète des livres dans mes trois langues dans une grande librairie du centre. Je vais lire les trois en même temps. Image de ma vie. J'ai les trois langues dans ma main, dans mes yeux, dans ma bouche, dans ma tête, *me siento feliz, I'm happy,* je suis parfaitement heureuse.

La femme à deux têtes va à Buenos Aires

Sans la mort de ma sœur, je n'aurais peut-être jamais arpenté les rues de Buenos Aires.

*   *   *

Cari est morte à quarante-quatre ans, le 24 mai 2010. Seins, os, cerveau : en quatre ans, le cancer l'a dévorée. Elle a laissé des fils de dix et douze ans. Dès le premier diagnostic, nous avons commencé à parler longuement au téléphone tous les jours, je l'ai accompagnée comme j'ai pu, comme elle l'a voulu, en parlant le moins possible de la maladie à laquelle elle pensait beaucoup trop déjà.

Sa mort a fait en moi un trou plus grand que sa vie, avant la découverte de son cancer, ne faisait un plein. Si elle était morte d'une crise cardiaque au lieu de souffrir pendant quatre ans, nous serions passées l'une à côté de l'autre sans nous connaître. Elle me jugeait excessive, et mes excentricités lui faisaient honte ; je la trouvais terne et conformiste. Avec cinq ans de différence, presque six, nous n'avions jamais eu les mêmes intérêts – adultes non plus, d'ailleurs –, et quand je suis partie vivre au loin, elle était encore adolescente. Avoir des enfants nous avait enfin donné une passion partagée, et puis la maladie, les heures au téléphone nous ont rapprochées, à mesure que sa mort se préparait à nous séparer.

Son seul grand projet – élever ses fils en se consacrant totalement à eux – avait tourné court. Je me suis interrogée sur mes propres aspirations. Entre l'université, qui dévorait les jours et les années, et les enfants, je remettais toujours à plus tard deux projets : celui d'écrire un roman et celui de « revenir à l'espagnol », comme je le disais toujours. Le premier était bien défini : l'envie de « terminer » quelque chose, de donner une forme concrète à une vision qui m'habitait depuis longtemps. L'autre était ouvert, infini : le besoin de « commencer » quelque chose, ou plutôt de recommencer, l'apprentissage d'une langue n'étant jamais terminé. Le roman a paru en 2013. J'ai repris l'espagnol à peine les cendres de Cari ensevelies.

Il y a eu un moment, au secondaire, où l'espagnol et le français fleurissaient à force presque égale en moi, puis il a fallu renoncer à l'un pour vivre pleinement l'autre. Le français était premier, nécessaire. Mais l'amour de l'espagnol ne m'avait jamais quittée, je sentais une absence que le grand trou creusé par la mort de ma sœur allait me pousser à combler. Tout est réécriture, retour aux amours d'autrefois.

*   *   *

Par-delà le chagrin que nous vivions tous – mes enfants étaient très proches de ma sœur –, j'étais envahie par une rage terrible. Cette femme était tellement décidée à vivre pour accompagner ses enfants qu'elle s'était laissé percer dans le crâne un trou par lequel on aurait injecté des médicaments si elle n'était pas morte avant. Pendant qu'elle agonisait dans un sommeil induit par la morphine, elle grattait encore la plaie qui tardait à guérir. Comment voir ça, voir réunis autour du lit d'hôpital ses vieux parents et ses jeunes enfants, sans avoir envie de tuer? Je voulais tuer.

Sa mort m'a plongée dans une rage qui ne mourra qu'avec moi.

Sa mort m'a redonné l'espagnol.

*　　*　　*

Je disais toujours *revenir à l'espagnol*, comme on dit *revenir de loin*. J'avais laissé derrière moi un trésor et je cherchais maintenant la carte. Mais comment retrouver une langue qu'on a presque abandonnée? Après avoir vu qu'on offrait à Buenos Aires un cours d'espagnol pour les interprètes de conférence, j'ai demandé à Hugh, professeur en études hispanophones, de me recommander quelqu'un avec qui rafraîchir mes connaissances avant mon départ. Il m'a répondu immédiatement: *J'ai celle qu'il te faut – elle ne donne jamais de cours d'espagnol, mais à toi elle en donnera.* Flavia vient de Buenos Aires, vit à Montréal depuis plus de trente ans et enseigne le français aux immigrants

– elle a publié des livres de grammaire française et écrit de la poésie en français. Autrement dit, Hugh avait vu juste : Flavia, c'est mon âme sœur, elle dont la trajectoire est parallèle à la mienne. Les cours se sont vite transformés en échanges sur toutes sortes de sujets. En plus de l'espagnol, la mort de ma sœur m'a donné cette grande amie.

Forte de ces quelques heures de conversation destinées à réveiller la langue endormie en moi, j'atterris à Buenos Aires en janvier 2011, en plein été de l'hémisphère Sud (je me souviendrai du choc d'un roman, lu à l'université, dont les premiers mots étaient : « Par un jour torride de janvier… »). Rien n'aurait pu me préparer au ravissement de cette ville, à sa vastitude : les parcs, le port, les quantités d'autobus qui la parcourent bruyamment en tous sens, les musées, l'art latino-américain que je connaissais mal, les noms des rues qui évoquent l'histoire et la géographie du continent, les cafés, les librairies, plus nombreuses qu'en toute autre ville du monde, où je découvrais des auteurs d'exception, la créativité, l'énergie qui électrise les rues, de jour comme de nuit.

* . * *

Tant d'années heureuses dans mes deux langues maternelles, dans mon numéro réussi de femme à deux têtes, dans mes va-et-vient dansants (traduction, interprétariat et, depuis l'arrivée des enfants, maison où on jouait sans cesse avec deux langues) m'avaient comblée.

Tout à coup, il me fallait autre chose, il me fallait l'espagnol. Je me suis jetée du haut d'une autre falaise, j'ai plongé dans de nouvelles eaux. J'ai renoncé à mes deux langues, à ma double aisance, pour balbutier et me tromper et avoir l'air folle et *ne pas savoir*. Au cours d'espagnol langue C, moi qui étais en général la plus bilingue – parmi les rares interprètes à être classés double A, c'est-à-dire considérés comme ayant deux langues maternelles –, j'étais désormais la moins bonne. Peu importe, j'étais là pour aller loin.

Reset.

On recommence. Prise trois.

*   *   *

Le mot espagnol *destino* signifie à la fois « destination » et « destin ». C'est là, sous ce ciel austral, que je comprends les liens étroits entre les deux. Tout a basculé.

Ma première ville espagnole depuis Salamanque à vingt ans. Tout est différent : la forme des arbres, la couleur de la terre, les gâteaux, les sports fétiches, la quantité de librairies et la qualité de la lumière, le sens des mois (janvier, c'est le plein été) et le son des voix. Étrangeté, émerveillement, et moi-même qui entre de plus en plus dans l'intimité d'une ville.

*   *   *

Une ville, c'est avant tout une langue.

Chaque nouvelle langue est une nouvelle floraison, unique, douloureuse, déchirante, nécessaire.

Je me lance dans l'espagnol avec toute la fureur que m'inspire la mort de ma sœur. Je suis électrique, survoltée. Chaque mot que j'apprends est un rempart contre la mort, contre la perte. Je harnache mon désespoir.

Commencer, recommencer, c'est croire en la vie. Le jour où ma mère m'a dit : *Le changement est mauvais, en général,* j'ai compris qu'elle était vieille. Elle devait avoir l'âge que j'ai maintenant, peut-être moins, alors que mon amie Éliane, octogénaire toujours prête à partir au cinéma ou au bout du monde, est encore jeune.

Apprendre une nouvelle langue, adulte, c'est retomber en enfance, sans avoir le charme de l'enfant. Rater les échanges les plus élémentaires : on me demande *un documento* quand je paie avec une carte de crédit, j'aurais dû comprendre, je n'ai pas compris. On est un enfant, on ne sait pas la différence entre les *medialunas de manteca* et de *grasa,* « beurre » et « margarine », les premières un peu plus grandes et plus moelleuses, les autres petites, compactes et friables. Une fois qu'on a compris, on participe au rituel, c'est un autre petit morceau qu'on a ajouté à son histoire, une autre entrée dans la langue, dans la ville. Partout, les gens me reçoivent avec une gentillesse inouïe : ils sont patients, accueillants, jamais ils n'essaient de me parler anglais ni ne rient de mes erreurs, ils se réjouissent de m'accompagner un moment dans mon voyage jusqu'à leur langue.

J'ai fait la connaissance de beaucoup de gens, universitaires, traducteurs, écrivains, dont certains parlaient bien mieux l'une ou l'autre de mes langues que moi la leur, et pourtant ils ont accepté d'échanger avec moi dans mon espagnol hésitant. Et j'ai évolué à la vitesse de l'éclair, comme si la langue reposait en moi, à demi oubliée telle une épave, bateau ivre qui refaisait lentement surface.

Je vivais une épreuve – en plus du deuil encore tout frais, j'avais parfois l'impression que ma tête allait éclater à force de recevoir des mots nouveaux –, mais aussi un envol, une envolée, une griserie que mes autres langues ne me procuraient plus : celle de pouvoir avancer à grande vitesse, comme un film en accéléré. De pouvoir faire ce dont on aurait été incapable quelques jours plus tôt, de soutenir avec une aisance grandissante des échanges de plus en plus longs et complexes. Le songe de quinze jours d'été arrachés à un hiver particulièrement brutal.

Ce que j'avais vécu lors de mes premiers voyages à Paris, ville que j'ai connue avant Québec et Montréal, je le vivais maintenant en espagnol : éprouver la ville comme un nombre infini de points de contact avec la langue, comme un immense livre déployé.

Tout est neuf et, moi aussi, je le suis. Je marche toute la journée. Je lis les affiches, j'étudie longuement les panneaux explicatifs des musées, je recopie dans mon cahier la moitié du journal. Moi qui déteste demander mon chemin, je le demande mille fois, alors que je sais pertinemment où je vais, juste pour le plaisir d'échanger quelques mots. Seule non-hispanophone du petit groupe qui se forme, je fais une visite guidée du cimetière de la Recoleta avec un historien, et je comprends tout ce qu'il dit, lumière. La langue est grande ouverte, elle me tend les bras, je l'étreins.

Fervor de Buenos Aires, comme le disait Borges : revenir à l'espagnol, c'était retrouver un amant que j'avais aimé autrefois et constater qu'il me plaisait encore. Et quelle liberté, une fois la honte et la gêne mises de côté. Chaque enseigne vous donne de nouveaux mots, chaque échange est un nouveau monde. J'ai voyagé, je voyage encore. L'espagnol a longtemps été un regret, maintenant il est une partie essentielle de moi.

Parfois, quand un être meurt, meurt aussi la langue que vous parliez avec lui. À la mort de ma sœur, l'espagnol est rené, comme si elle m'avait fait, à son insu, ce cadeau royal.

*   *   *

Il y a un âge pour apprendre les langues, recommencer sa vie. Il m'a été infiniment plus facile de réinventer la mienne à vingt ans que ce le serait aujourd'hui. L'apprentissage a toujours un goût de jeunesse et de futur – si on est prêt à consentir tant d'efforts, c'est qu'on croit en l'avenir.

Et les langues correspondent à des âges de la vie. Le français a été ma jeunesse, les possibilités innombrables. Je voulais devenir une autre, et j'y suis parvenue.

L'espagnol est un amour tardif, je ne pourrai pas

tout refaire en moi. Je ne serai jamais parfaite, jamais tout à fait native. Mais il y a longtemps que je suis sortie du placard linguistique et que j'ai renoncé au fantasme de la perfection. L'espagnol est donc plus grave et plus ludique que mes autres langues, plus lumineux ; je sais que je n'en viendrai pas à bout, mais je me suis abandonnée au plaisir du voyage. L'urgence est devenue pur plaisir.

J'ai suivi des cours en ligne sur la littérature latino-américaine, lu des centaines de romans, rédigé des milliers de mots d'analyse littéraire. Je traduis maintenant des romans et de la poésie de l'espagnol. J'ai écrit en espagnol préfaces et articles. C'est une autre dimension, un nouveau moi. Ma manière de combattre la mort et l'oubli, et sans doute aussi de rajeunir, de revenir encore une fois au début du monde, où tout est possible.

À ce premier séjour à Buenos Aires se sont ajoutés plusieurs autres dans cette ville et à Barcelone, à Madrid. Mon espagnol est tellement bon que plus personne ne me dit : *Ton espagnol est tellement bon* ; on m'accueille sans commentaire au sein de la communauté des locuteurs.

L'espagnol est inséparable de ma petite sœur qui n'en connaissait pas un mot. J'y suis revenue pour lui rendre hommage à ma bizarre de manière (*You always were kind of weird*, aurait-elle dit, fâchée quand nous étions jeunes, avec affection plus tard) ; pour la même raison, à l'université, je dote une petite bourse d'études qui porte son nom. Je l'ai fait pour me dire qu'elle n'était pas morte, pour me donner des raisons de vivre, pour me sentir encore jeune et vivante. Et j'ai été bien inspirée. L'espagnol me donne un nouveau moi, même à titre d'ébauche, une nouvelle voix, une nouvelle voie, des amitiés. L'espagnol est éclairé d'une suave lumière d'automne, il est plein d'espoir et de nostalgie. Il est le cadeau de ma petite sœur radicalement unilingue, ma floraison tardive, douce et inattendue.

La langue fantôme

La honte est un frein, mais aussi un moteur. Un miroir qui nous pousse à transformer notre image.

*   *   *

Une langue peut compter pour nous parce qu'on est né avec elle, ou qu'on l'a adoptée, faite nôtre. Ou encore, plus mystérieusement, parce qu'on a une manière particulière de ne pas la connaître. L'allemand est ma langue fantôme, comme on dit « membre fantôme » : il a été coupé, mais son absence me fait toujours souffrir. Je ne peux rien dire, en allemand, de ma curieuse relation avec l'allemand.

*   *   *

En juillet 2016, à Berlin avec ma fille, une révélation. Cette ville où on démolit et construit jour et nuit exhibe à ciel ouvert son histoire, le grand Mémorial de l'Holocauste, l'emplacement de Checkpoint Charlie, des vestiges du Mur. À mesure que je parcours son grand corps, différentes couches et formes du passé s'agitent en moi. La langue me semble familière, alors que je ne saisis que quelques mots çà et là, elle coule autour de moi et je voudrais la goûter, l'avoir dans la bouche, l'avaler crue. J'ai l'impression de pouvoir toucher cette langue que je ne connais pas, mais en même temps, une vitre m'en sépare, comme celle qui isole les nouveau-nés dans la pouponnière de l'hôpital. Sans douleur, mais avec force, une faille s'est ouverte en moi. Quelque chose remue, cherche à naître.

*   *   *

Je lis qu'en Colombie des médecins ont trouvé, dans le ventre d'une femme de quatre-vingt-deux ans aux prises avec d'atroces douleurs, un fœtus mort quelque quarante ans plus tôt. Une radiographie de son abdomen a révélé la présence d'un fœtus de trente-deux semaines qui, avec les années, s'est calcifié et est devenu un fossile. On appelle cela un « lithopédion » ou « bébé de pierre ».

L'allemand est mon bébé de pierre.

*   *   *

Je savais certaines choses depuis toujours, depuis si longtemps que je les avais comme oubliées : une bonne partie de mes lointains ancêtres venaient d'Allemagne, ou plus précisément d'Alsace-Lorraine, ce territoire contesté, alors que Kitchener avait d'abord été une ville majoritairement allemande nommée Berlin (édifiée sur les terres des Six Nations, mais ça, c'est une autre histoire). Dans ma famille, un silence absolu pesait sur le sujet, pas le silence lourd, plein, qui masque à l'évidence un tabou, mais le silence vide du *rien à dire*. La généalogie de ma famille et l'histoire de ma ville m'inspiraient une violente indifférence. Trop violente, au fond, pour ne pas être suspecte : tant d'ignorance traduisait un besoin de ne rien savoir. Celui de ne pas s'attacher, de *désappartenir*, de justifier mon départ par la médiocrité de ce que je laissais derrière. Plutôt qu'un devoir de mémoire, j'éprouvais une profonde nécessité d'oubli.

Depuis la Deuxième Guerre mondiale, l'allemand est d'avance contaminé, gêne que mes parents, se sentant pleinement canadiens depuis toujours, ne semblaient pas éprouver.

Longtemps, j'ai hésité à reconnaître le sang allemand en moi.

*　　*　　*

On est très lent à comprendre ce qu'on ne veut pas savoir. J'ai mis presque toute une vie à voir que mon grand geste de rupture – changer de langue, changer de nom – avait, malgré moi, de profondes racines. *Tout cela nous était déjà arrivé*, il y avait une éternité. Il a fallu le voyage à Berlin pour que mes yeux se dessillent.

*　　*　　*

141

Ma famille est au Canada depuis les années 1860, 1870 – dans un pays neuf, un pays d'immigration, c'est beaucoup –, mais la puissance du nombre et l'attachement aux traditions étaient tels, à Berlin-Kitchener, que trois de mes grands-parents avaient encore l'allemand comme première langue, ou du moins comme fond sonore de leurs jeunes années. Je ne me souviens que de deux ou trois mots qu'ils ont prononcés, toujours les mêmes, alors que mes parents n'en utilisaient jamais. J'ai le catéchisme de ma grand-mère en vieil allemand gothique, indéchiffrable pour mes parents et pour moi. Je ne m'en rends compte que maintenant, mais mes parents sont la première, la seule génération unilingue de ma famille directe.

Ce sont mes grands-parents qui ont refusé la transmission, brisé le fil. Ils ont coupé leurs enfants de la langue qui respirait en eux, la langue de leurs premiers émois, de leur première communion, la voix de leur mère. Rien n'a survécu, sinon quelques photos, de rares documents, des recettes de desserts que ma mère préparait encore et dont j'ai conservé trois ou quatre. Même l'ombre folklorique de la tradition – danses, chansons, comptines – a disparu. J'ai appris, jeune, un jeu de cartes compliqué appelé *solo* auquel les adultes de la famille élargie consacraient leurs soirées et dont l'étrange vocabulaire dérivait de toute évidence de l'allemand, mais les cartes ne m'intéressaient pas et j'ai tout oublié.

Les traces de l'allemand étaient si éloignées, si assimilées que je ne les voyais même pas. Mais nul besoin de voir une chose pour qu'elle nous marque.

Mes parents n'ont jamais dit avoir souffert de la disparition de l'allemand, ils ne semblaient pas se poser de questions. Mais il y a là une coupure, une brèche, une faille. Peut-être que c'est à moi qu'il a été donné de la sentir, à mon insu, et de la réparer, à ma manière en apparence si différente, par le biais d'une autre langue.

*   *   *

Il y a des maisons où une deuxième langue circule, entre les parents : pour les secrets, pour les querelles. Mes parents n'en avaient pas d'autre et, dans le cas contraire, je l'aurais fuie. On offrait des cours d'allemand à mon école secondaire, mais je n'ai même pas songé à m'y inscrire. Il me fallait une langue intouchée, toute à moi.

*   *   *

Il y a plusieurs manières de ne pas connaître une langue. Je ne connais pas non plus le néerlandais, le norvégien (pas plus le bokmål que le nynorsk) ni le nahuatl, pour limiter ma vaste ignorance à une seule lettre. Mais cette ignorance est accidentelle et en quelque sorte *normale,* je n'y pense pas. Mon ignorance de l'allemand est lourde, chargée de sens. On m'a imposé ce non-savoir. Une forme de violence.

Quand je dis *je ne connais pas l'allemand,* je sens un trop-vide au lieu d'un trop-plein, un vent froid, un champ désert. Le besoin de comprendre, depuis Berlin.

* * *

Le symbole de Berlin a longtemps été ce mur qui tranchait dans le vif des rues et des vies. Le symbole de Kitchener, pour moi, est un piédestal sans statue, signe d'une autre coupure.

Pourquoi cette rupture, pourquoi mes grands-parents ont-ils laissé mourir l'allemand ? L'histoire familiale et l'histoire collective se croisent dans cet étrange épisode. On ne nous en a pas parlé à l'école ; mon père, pourtant friand d'histoire locale, ne l'a jamais évoqué. Je ferai le récit tel qu'il m'est apparu à l'occasion d'un rare voyage de retour.

Comme la mienne, l'histoire de mon ex-ville est celle d'une renaissance obtenue au prix d'un changement de langue et de nom. Alors que ma renaissance a été joyeuse et librement choisie, celle de Kitchener, à la fois loufoque et tragique, a été imposée au milieu des coups de canon et des cris de haine de la Première Guerre mondiale. Parmi ses victimes : un buste du kaiser Guillaume Ier, le nom *Berlin*, la paix civile et, à terme, la langue allemande elle-même.

* * *

Juillet 2018. Je suis de retour dans ma ville natale, à la recherche du piédestal sur lequel reposait le buste du kaiser, qui a été jeté dans un lac, puis repêché avant de disparaître définitivement, il y a un peu plus de cent ans.

Aux côtés de ma cousine Darla, qui vit à Kitchener et m'accompagne partout, obligeante et légèrement incrédule devant mes lubies, je parcours Victoria Park, dont le cœur est le petit lac artificiel où a abouti l'infortuné Guillaume. Nous avons commencé par le coin le plus prometteur, près de la grande statue de Victoria portant sceptre et couronne, érigée en 1911. Impériale et intacte, la souveraine contemple, imperturbable, le lac où son parent a sombré. Aucune trace du piédestal. Le soleil tape. On fouille tout le parc. Rien. L'entreprise me semble maintenant absurde. Je n'arrive pas à y renoncer.

Mais à quoi est-ce que je m'accroche, au juste ? Quel lien entre l'histoire de ma métamorphose et un piédestal de granit sur lequel trônaient soixante-dix kilos de bronze ? Jusqu'à la Première Guerre, lorsque les ennuis du kaiser – emblématiques de ceux des Canadiens d'origine allemande – ont commencé, Berlin était une paisible ville manufacturière où l'allemand avait joué un rôle dominant, puis plus effacé, mais encore notable. La Première Guerre sonnera le glas de cette ville-là.

C'est en août 1897, à peine un an après l'ouverture du parc, que le buste du kaiser, mort en 1888, a été hissé sur le *Friedensdenkmal* ou Mémorial de la paix. Au moment où on l'installe, l'Europe est déjà en proie aux tensions qui auront raison de cette paix – dont le symbole est le couronnement du kaiser, roi de Prusse, à la tête du nouvel Empire allemand – le 28 juillet 1914.

La haine voyage vite. Dans la nuit du 23 août, trois jeunes gens ivres font dégringoler le buste de son haut piédestal et le jettent dans le lac. Une photographie prise le lendemain illustre la réjouissante efficacité des autorités : trois plongeurs en maillots de bain rayés qui rappellent l'uniforme des prisonniers se tiennent solennellement debout dans un canot aux côtés de deux hommes en complet, le buste – casque militaire comme un drageoir inversé, moustaches remontantes à la Dalí, favoris pareils à de la mousse espagnole – dégouttant à leurs pieds. Mineur en soi, l'incident annonce les déchirements à venir.

Le buste récupéré est confié au Concordia Club, l'un des nombreux clubs sociaux allemands de la ville, où on le range dans un placard freudien. Puis, dans la nuit du 15 février 1916 (selon les versions, les clubs allemands ont fermé ou non leurs portes durant la guerre), des soldats du 118e Bataillon, connu pour ses beuveries et ses bagarres, envahissent les lieux, s'emparent du buste, urinent dessus et le font défiler, en compagnie d'une petite foule vociférante, dans les rues enneigées. Les jours suivants, Guillaume servira de cible durant les exercices de tir. Et quand les hommes sont enfin envoyés outre-mer, le buste disparaît sans laisser de traces et définitivement. Avant de partir, les soldats, fins ironistes, vandalisent le Mémorial de la paix.

Darla et moi finissons par renoncer au piédestal. Le lendemain, faisant des recherches à la bibliothèque municipale, je lis que la Ville l'a enlevé quelques mois après la disparition du buste. Le Mémorial de la paix a été emporté par la guerre ; la suppression du piédestal signifie un retour à la normale, mais à une normalité désormais britannique plutôt qu'allemande. Le piédestal vide, s'il demeurait dans le parc, ferait trop penser à la violence : l'enlever, c'est effacer le passé trop brûlant et, du même coup, occulter l'effacement, oublier l'oubli. L'épisode est clos, la mémoire nettoyée. *Reset.* Comme si le Mémorial n'avait jamais été là.

*   *   *

Le patriotisme canado-britannique fait des ravages. Deux clubs sociaux allemands ont été saccagés, un pasteur luthérien battu, on a forcé des conseillers municipaux à embrasser l'Union Jack, et plusieurs églises ont cessé de proposer des services en allemand. On soupçonne de déloyauté les « Allemands » de Berlin bis, dont quatre sur cinq, pourtant, sont nés au Canada.

Un autre effacement, plus lourd de conséquences que la disparition d'un amas de granit et de bronze, se prépare déjà. Jusque-là, Berlin, Ontario, était une ville manufacturière paisible. Encore aujourd'hui, sa devise le proclame : *Ex Industria Prosperitas,* la prospérité grâce à l'industrie. Moulins à carder, tanneries, fabriques de boutons (*Buttonville* est un surnom des premiers temps), de chemises, de chaussures et de meubles : l'étiquette *Made in Berlin* est gage de qualité.

Puis vient la guerre, et l'étiquette se change en stigmate, la fierté se mue en honte. Je viens donc d'une ville qui, comme moi, a changé de nom par rejet de ses origines.

* * *

En mai 1916, le conseil municipal approuve de justesse le principe d'un changement de nom, sans proposer de suggestions. Un comité de citoyens compile une liste dont se gausse toute la presse nationale : Huronto, Bercana, Dunard, Hydro City, Renoma et Agnoleo. L'hilarité augmente lorsqu'un concours national accouche de plus de cent noms, quelques-uns palindromiques (Naidanac et Adanac) ou amalgamés (Bercana, mélange de Berlin et de Canada, ou Engada, fusion d'England et de Canada), d'autres royaux (King George, Prince Edward, Majesty, Corona), impériaux (Bretania, Empire, Imperial City), optimistes (Amity, Progress, United City), planétaires (Orion, Uranus, Cosmos), commerciaux (Industria, Mechano, Factoria) ou simplement mystifiants (Ouneta, Vinita, Brief, Khaki, Teck). J'imagine des gens disant : *I come from Uranus,* ou encore *I live in Khaki, Canada.*

On prépare un bulletin de vote où figurent cinq noms, dont aucun ne se trouvait sur la première liste. Puis, le 5 juin 1916, coup de théâtre. Le HMS *Hampshire* fait naufrage après avoir frappé une mine allemande au large de l'Écosse, et parmi les sept cent trente-sept morts figure un administrateur colonial et haut gradé de l'armée britannique, le maréchal Horatio Herbert Kitchener, ministre de la Guerre, en route vers la Russie pour participer à des négociations.

*　*　*

On s'empresse d'ajouter le nom de Kitchener à la liste définitive, où figurent aussi Brock, Corona, Adanac, Keowana et Benton. Le vote a lieu le 28 juin, l'entrée en vigueur du changement, le 1er septembre. Mort un mois plus tard, l'opportun maréchal aurait peut-être eu droit à un simple buste, comme le kaiser autrefois, ou à rien du tout.

Les Berlinois d'origine allemande forment encore soixante-quinze pour cent de la population, mais la peur, l'intimidation ou l'indifférence auront raison d'eux : moins de mille électeurs, de cette ville de quinze mille personnes, ont voté, et une minorité d'entre eux, seulement trois cent quarante-six, ont choisi le nom « Kitchener ». Peu après, plus de deux mille personnes signeront une pétition demandant à l'Assemblée législative de l'Ontario, qui n'y donnera pas suite, d'annuler le changement de nom.

*　*　*

Une autre ironie de cette improbable histoire est que le nom de Kitchener est infiniment plus déshonorant que celui de Berlin.

Serviteur loyal de l'empire, Lord Kitchener a imposé par les armes la domination britannique. L'homme a sévi en Égypte. Il a sévi au Soudan. Il a sévi en Inde. En Afrique du Sud, lors de la guerre des Boers, il applique deux tactiques infâmes : la politique de la terre brûlée et l'enfermement de nombreux civils – des enfants, des femmes enceintes, des vieux – dans des camps d'internement. Victoires, brutalités. C'est son effigie qu'on voit, féroce et résolue, sur les affiches de recrutement britanniques de la Première Guerre mondiale. (Une seule chose me plaît chez lui : il parlait couramment français et a appris l'arabe.) Où est l'honneur, pour une ville, de porter son nom ?

Dès le lendemain du référendum et jusque dans les années 1990, on prônera de temps à autre le retour de « Berlin ». Le 1er janvier 1917, des membres du 118e Bataillon tabassent deux conseillers municipaux favorables au retour au nom d'origine et saccagent les bureaux du *Berlin News Record*. Un autre bataillon est appelé pour mettre fin aux émeutes. Mais la ville allemande est morte et – ironie de l'oubli qui protège –, comme nos contemporains ignorent tout des méfaits de Kitchener, son nom ne sera jamais déboulonné comme le buste de son ennemi l'a été.

*   *   *

Au moment où l'ex-Berlin adopte un nouveau nom qui proclame sa loyauté à l'Empire britannique – et lui permettra plus facilement d'écouler ses produits –, la famille royale, gênée elle aussi par ses racines soudain suspectes, changera le sien.

Au départ, la statue de Victoria et le buste de Guillaume 1er se tenaient tout près l'une de l'autre, signe des liens étroits entre eux : le fils de Wilhelm avait épousé la fille de Victoria, qui était donc la grand-mère de Guillaume II, chef de l'Allemagne durant la Première Guerre. La proximité devient si encombrante que, en 1917, le roi George V « traduit » le nom de la famille de Saxe-Cobourg-Gotha en Windsor, effaçant la marque des origines ennemies.

Comme ma ville, comme moi, les Windsor ont renié leur nom par honte de leurs origines.

*   *   *

On a détruit le Mémorial de la paix, rebaptisé la ville du nom de feu le ministre de la Guerre ; habitués à une sereine double identité, les Canadiens d'origine allemande sont violemment sommés de choisir. La langue intime devient l'ennemi public.

Mon grand-père maternel a quatorze ans au moment du référendum, sa future femme, neuf. Il s'appelle Schmidt, elle Diegel. Il fait sa première communion, en allemand, le 17 septembre 1916, seize jours après l'adoption officielle du nouveau nom. À la maison, tous deux ont dû entendre leurs parents, qui parlent la langue honnie, évoquer les émeutes. Mes futurs grands-parents ont senti les tensions, subi des moqueries peut-être, éprouvé une peur diffuse. La langue est ici le point de rencontre, mais aussi le point de rupture, entre l'histoire personnelle et collective.

Les drames se transmettent dans le lait, dans l'eau et dans l'air, se nichent dans les os. Le premier devoir des parents est de protéger leurs enfants. La langue vient bien après. Cette honte et cette peur expliquent, je crois, la perte de la langue allemande, de mes grands-parents à mes parents.

Certains parents immigrants coupent à l'avance, pour leurs enfants, le pont vers la langue d'origine, ne parlent en leur présence que la langue nouvelle, qu'ils la maîtrisent bien ou non. C'est les libérer du passé, effacer l'ardoise, croient-ils. Mes grands-parents, assimilés encore à des étrangers malgré plusieurs générations d'enracinement au Canada, ont voulu laver la honte et le soupçon, du moins je l'imagine. Personne ne traiterait leurs enfants de *Squareheads* ou de *Krauts*, personne ne les menacerait.

Vingt ans après la fin de la Première Guerre, l'identité allemande de l'ex-Berlin était déjà morte. Aujourd'hui, moins de deux pour cent de la population a l'allemand comme langue maternelle. L'histoire est fréquente, l'histoire est triste : une sous-culture florissante, comme l'allemand à Berlin-Kitchener, le yiddish à Montréal, le français en Nouvelle-Angleterre, s'affaiblit peu à peu – honte, peur, stigmatisation, noyade dans de nouvelles vagues migratoires, assimilation –, s'intègre à la langue dominante et finit par sombrer. Je viens de l'une de ces cultures effondrées.

*   *   *

Ma grand-mère maternelle, quand j'étais jeune, refusait de parler allemand avec les parents de son gendre, de « vrais » Allemands fraîchement arrivés, sous prétexte que le sien était *lousy*. Je me souviens de seulement deux mots qu'elle employait, déformés par mon souvenir et mon ignorance. L'un était *Vunnynos* (orthographe inconnue), qui s'appliquait surtout à l'endroit où elle avait caché les cadeaux de Noël ou à d'autres secrets semblables. L'autre était *ferschimmered*, comme dans « *I'm all ferschimmered* », je n'y vois pas clair, je suis perdue. En allemand, le mot n'a pas, ou n'a plus, ce sens (il signifie ou « moisi » ou « obsolète ») ; on le trouve, avec diverses graphies, dans les glossaires de yiddish. Mais aussi loin que remonte notre histoire répertoriée par mon père, ma famille est luthérienne.

* * *

Autre ironie, autre étrange parallèle : ma langue d'origine lointaine et ma langue d'adoption étaient depuis longtemps en guerre dans la région d'où venaient mes ancêtres, l'Alsace-Lorraine, ce terrain si âprement disputé entre les Français et les Allemands. Le bilinguisme des zones frontalières, les frottements et les irritations, les interdictions de parler une langue, puis l'autre, les moments de coexistence paisible suivis d'une flambée de haine : tout cela me semble étrangement familier.

Mon père a rempli quantité d'albums de ses recherches généalogiques, mais il ne racontait aucune histoire, se limitait à déterrer des noms et des dates de naissance et de mort. Un jour, il m'a annoncé avec fierté que nous étions des parents éloignés d'Albert Schweitzer. Schweitzer est né dans la province de Kaysersberg, qui a changé de main de son vivant ; sa langue maternelle était l'alsacien, il se considérait comme français et écrivait en allemand. Le genre d'histoire que j'aime. J'ai dit à mon père : *Alors on est aussi de très vagues parents de Jean-Paul Sartre* (la mère de Sartre et Schweitzer étaient cousins, Sartre le raconte dans *Les Mots*). *Who's he ?* a demandé mon père. *A very famous French writer. Oh, that must be why you like all that Frenchie stuff,* a-t-il conclu, content de trouver enfin une explication.

Je ne crois pas à la préfiguration directe, mais ils sont en moi, ces Alsaciens. On est donc passés d'une région bilingue, mais conflictuelle, à une paisible ville canadienne allemande, puis bilingue, Berlin bis, devenue unilingue à cause des convulsions de l'histoire. Et j'ai moi-même abouti dans une autre ville bilingue, majoritairement française. Qui sait si je ne suis pas revenue sans le savoir à une langue française connue et perdue par ma famille, là-bas, en Alsace ?

*   *   *

Durant mon séjour de recherche à Kitchener, je visite avec Darla mes anciennes écoles primaire et secondaire. Cette dernière a beaucoup et peu changé, on a renouvelé le décor, ajouté une serre. Je vois une affiche de la tour Eiffel, une autre avec quelques mots en français.

Il y a deux ans, je ne le savais pas, on a démoli mon école primaire, et un édifice plus grand a pris sa place.

Le terrain a été réaménagé en entier, et rien ne reste du petit boisé où les garçons lançaient des boules de neige aux filles, des lilas au milieu desquels Sonja m'a raconté qu'elle ne pouvait plus me voir. À une fenêtre, j'aperçois une boîte de plastique bleu portant l'étiquette « L'automne ». Aucune autre trace de français dans les salles de classe. On a remplacé par des marches de béton l'escalier de bois qui menait vers mon ancienne rue, et au pied duquel m'attendaient de grands garçons qui, après l'école, m'interdisaient de prendre ce chemin, et j'avais peur d'en parler même à ma mère : je devinais confusément ce que les grands garçons faisaient aux fillettes. Que sont devenus ces garçons qui tourmentaient leur petite victime, où est passée cette peur ?

La disparition de mon ancienne école me trouble. On dirait le vieux paradoxe du navire dont on a remplacé les planches une à une : est-il encore le même ou non ? La salle de classe où j'ai découvert les Leduc n'existe plus que dans mon esprit, mais l'école n'a changé ni de nom ni de vocation ; comme moi, mais de façon opposée, elle est fondamentalement autre tout en restant la même.

*   *   *

Le bungalow où j'ai grandi, de l'extérieur du moins, est étrangement pareil. Mais on a coupé le pommier sauvage dont la brève floraison remplissait de larmes les yeux de ma mère.

Les manufactures ont fermé une à une, on a remplacé les cheminées par des bureaux : assurances, nouvelles technologies, centres de recherche. Des usines désaffectées sont devenues des lofts. La ville s'est réinventée, comme moi. Elle est plutôt agréable, après tout.

*   *   *

La rupture d'avec l'allemand, dans ma famille, a donc été définitive. Construire, préserver exige plus d'efforts que briser, et on a cessé de faire ces efforts. En rompant avec l'anglais, je répétais le geste de mes grands-parents, sans savoir, sans vouloir savoir.

J'avais rompu avec la non-langue de mes parents, l'allemand, et j'avais rompu avec leur vraie langue aussi, celle que je ne parlais plus qu'avec eux.

Beaucoup plus tard, j'ai suivi le mouvement inverse, à la fois retour et révolution. En enseignant l'anglais à mes enfants, j'ai refusé mon propre refus, refusé de répéter la coupure d'avec le passé familial que mes grands-parents avaient imposée à leurs enfants.

*   *   *

Je suis triste de ne pas connaître l'allemand, fâchée d'une rupture que je n'ai pas décidée. C'est mon ignorance de la langue, mais aussi ma découverte récente de notre histoire, qui me sert de lien avec tous ceux qui la parlaient et avec ceux qui l'ont perdue.

Que je le parle ou non, l'allemand est en moi, et moi en lui.

*　　*　　*

Si ma ville était restée « Berlin », j'aurais pu prononcer son nom. Est-ce que j'aurais quand même eu honte, est-ce que mon histoire aurait été différente ?

*　　*　　*

Le buste du kaiser a disparu à jamais, tandis que la reine Victoria, incarnation d'un empire vaste et brutal dont Lord Kitchener était l'un des hommes de main, trône, intacte, un lion à ses pieds.

Mon bref séjour de recherche tire à sa fin. J'ai fait mon deuil du piédestal. Je le cherche cent deux ans trop tard, il faut l'accepter.

Puis, le dernier soir, Darla et moi repassons par le parc en direction contraire, et là, derrière des arbres qui l'ont caché à notre vue la première fois, je le vois, tout à coup, le piédestal.

Vide.

Et pourtant, je l'ai lu, on l'a enlevé en 1916. Fantôme, renaissance.

En fait, c'est une version moins élancée, moins ornée de l'original, érigée, une grande plaque le signale, à sept ou huit mètres à l'est du site premier. Commandité par la German-Canadian Business and Professional Association et inauguré le 29 août 1996 pour le centenaire du parc, le monument marque aussi, bien que la plaque ne le signale pas, le quatre-vingtième anniversaire de la disparition du buste et de la mort officielle du nom « Berlin ». Mais qui peut être assez fou, ou assez futé, pour ériger un piédestal vide?

Le buste perpétuait la mémoire d'un événement, d'un homme, d'un lien avec la mère patrie. Puis la guerre a balayé les alliances anciennes. Les voleurs ont nié le passé, tué les origines, et la disparition du piédestal a effacé les traces du meurtre.

Le nouveau piédestal est la preuve du vol ancien, le rappel de ce qui a été détruit. Il efface l'effacement, ravive les blessures refoulées. De façon perverse et sans doute délibérée, le Mémorial de la paix rappelle les vieux griefs, la guerre livrée au sein de l'ex-Berlin.

Laisser et, à plus forte raison, *reconstruire* un piédestal vide traduit une volonté obstinée de se souvenir de ce que tout le monde a préféré oublier. Le piédestal est mort, vive le piédestal; l'oubli est mort, vive le souvenir.

*   *   *

Aujourd'hui, je prends la mesure de ce qui était inscrit en moi depuis le début, dans ma voix et mes gènes, dans mon histoire familiale et celle de ma ville d'origine. Les miens ont été façonnés par cette histoire de haine ethnique, de destruction de l'Autre, d'un nationalisme dur qui fait d'une langue un symbole de pureté et de patriotisme, d'une autre l'emblème de la traîtrise. Je comprends pourquoi la question de l'altérité m'a toujours fascinée : nous avons toujours été *autres*, et les langues étaient à la fois blessures et voies de guérison.

Trois générations dans la vie d'une famille, c'est peu pour guérir une telle blessure.

Je reviens toujours à ce que dit le *Grand Robert* : « Un Français dont les parents d'origine étrangère ne parlent plus que le français pourra fort bien considérer comme sa langue maternelle une langue qu'il ignore, celle que parlaient ses ancêtres lointains, si, affectivement, il ne se considère pas comme Français. »

Ainsi, notre langue maternelle peut être une langue dont on ignore tout. Apprendre le français, c'était peut-être un retour inconscient vers mes ancêtres alsaciens.

Ou encore, ma langue maternelle pourrait être l'allemand.

*   *   *

L'allemand, c'est la langue que mes parents n'ont pas apprise et n'ont pas pu me transmettre, la langue qui est partout en moi, mais dont j'ignore presque tout. L'allemand est peut-être l'espace vide qui structure les pleins, le fantôme dont je ne peux pas me passer.

Un piédestal sans statue, une langue coupée. Des ponts coupés, rebâtis, pareils et différents. Des langues qui naissent, des langues qui meurent, des ruptures, des retours.

L'allemand, ma langue fantôme, ma musique secrète. Celle que je porte en moi comme une photo qui n'a jamais été développée mais qui perdure dans les limbes d'avant la chambre noire, d'avant la nuit utérine, une image qui fleurit dans une autre nuit, celle des anciennes générations. Bébé de pierre, langue de pierre, mais aussi fleuve souterrain qui irrigue mon histoire.

Paris est une idée

Je suis à la fois original et traduction.

*   *   *

Mon premier voyage en France est celui qui n'a pas eu lieu. Celui que j'ai raté à cause du nom de ma ville.

Un beau jour de juin, je me présente, avec deux filles de mon école, Beverley et une autre dont j'oublie le nom, au concours de français que l'Université de Waterloo organise chaque année à l'intention des meilleurs finissants du secondaire. Les trois premiers prix : un séjour linguistique d'un mois à l'Université de Tours.

Je sens déjà dans tout mon corps, comme une fièvre permanente, le vrombissement des moteurs à réaction, l'élan qui libère des attaches terrestres, l'étreinte du ciel. Je reviendrai au bout d'un mois, mais déjà transformée, et mieux armée pour le départ définitif.

La dictée, un jeu d'enfant, l'examen de grammaire pareil, la composition un plaisir à rédiger, mon écriture est légère, fluide. Puis vient l'examen oral, en laboratoire. Quarante jeunes premiers de classe assis devant des micros, un casque sur la tête, quarante rubans qui enregistrent.

Première question : *Où et quand êtes-vous né ?*

Je suis née à... et j'arrête.

Autour de moi, j'entends des voix trébucher sur la date. Le piège était là, dans les chiffres, mais pas pour moi. Moi, c'est le « où » qui me reste coincé dans la gorge. Quoi de plus normal, de plus neutre, que ce nom de lieu, que n'importe quel nom de lieu ? Mon hésitation est absurde, elle est viscérale, définitive. Pourquoi ne pas avoir dit le nom d'une ville quelconque, au lieu de me paralyser ? Sur ce point trop sensible, je ne peux ni mentir ni dire la vérité. Même si la France est à ce prix.

J'entends le léger sifflement du ruban qui défile et emporte mon espoir d'évasion. La deuxième question commence après mille heures, après dix secondes, et je n'ai dit que *Je suis née à...*

Déjà, je sais : je serai quatrième, j'ai tout perdu.

Quelques jours plus tard, on annonce les résultats : je suis quatrième, j'ai tout perdu. Le quatrième prix : cinq cents dollars.

Beverley est deuxième, je la vois déjà faire sa valise dans sa tête, murmurer des adieux. Elle n'en revient pas de m'avoir battue. La troisième fille de notre école, classée au vingt-neuvième rang, est ravie.

L'avion décollera sans moi. Icare s'écrase sous le poids de sa propre stupidité. Un chat qu'on a vu tomber se cache ; à l'école, on n'échappe jamais aux regards.

J'ai acheté des livres avec mes cinq cents dollars,

mais aussi un fume-cigarette, un éventail nacré, des objets faussement exotiques, des babioles qu'on sait déjà inutiles en tendant son argent à la caissière. Je ne sais pas si Beverley a bien profité de son séjour linguistique, si elle a continué de parler français. Je l'ai cherchée en vain sur Facebook, c'est le genre de fille qui aurait pris le nom de son mari, comme la plupart des jeunes filles de notre génération d'ailleurs.

Par la suite, je me suis bien rattrapée avec les voyages à Paris, avec les voyages en général. Mais la pauvre petite avec son fume-cigarette de consolation ne pouvait pas le savoir.

La première fois que j'entre dans la cabine d'interprétation, à vingt-deux ou vingt-trois ans, je retrouve devant le micro (j'ai d'abord écrit « miroir ») ma terreur ancienne, intacte. Avec le temps, elle s'est apprivoisée, apaisée, comme le reste.

*   *   *

Si vous alliez à Paris, qu'y feriez-vous? était la deuxième question.

J'ai trouvé beaucoup de réponses, au fil des ans.

J'ai mangé pour la première fois des quenelles de brochet, des asperges blanches à la sauce mousseline, des huîtres à volonté. J'ai découvert le Louvre, puis, un à un, des musées moins connus. J'ai lu *Le Monde* et j'ai acheté et dévoré des bibliothèques entières. J'ai vu une quantité ahurissante de films dans des salles vétustes mais émouvantes, j'ai pris dans l'obscurité des notes que j'ai souvent été incapable de déchiffrer par la suite. J'ai mangé des tartelettes à l'abricot devant la fontaine Médicis. J'ai traîné des peines et des deuils. J'ai flâné dans des cafés, ceux que j'ai mentionnés et aussi le Café de l'Industrie, le Pause Café, le Pure Café, le café de Fleurus, plus récemment le café Coutume de l'Institut culturel finlandais ou Chez Prune. J'ai rencontré des éditeurs et des éditrices, corrigé des manuscrits, révisé des traductions. J'ai donné des conférences, je me suis fait des amis. J'ai marché davantage que dans n'importe quel autre lieu. J'ai regretté de ne pas y avoir emmené ma sœur, mais c'est sans doute une projection de mon propre désir, Paris pour elle ne voulait rien dire. Je me suis perdue plus que de raison. Je me suis trouvée.

*   *   *

Les Misérables, alors que j'avais dix ou onze ans (en traduction anglaise encore), a été la première porte ouverte sur les rues de Paris, avant les ruelles labyrinthiques de Baudelaire. Entre tous les lieux possibles, Paris est devenu l'objet de mon désir, phare qui brillait de loin depuis longtemps pour les créateurs aspirants et les âmes perdues du monde entier. Comment choisit-on – mais on ne choisit pas de tomber amoureux – une ville, un amant, un désir et non un autre ? Mystères des affinités et de l'attirance.

Ces années-ci, je me rends à Paris au moins deux ou trois fois par an. J'ai des appartements que je loue à répétition, des cafés où on me donne la main à mon arrivée et, dans ma tête, le plan complet de plusieurs quartiers, mon Google Maps personnel. Mais des années avant de m'accueillir pour la première fois, Paris m'a sauvé la vie. J'ai pu supporter l'ennui de l'école secondaire parce que j'allais bientôt m'y rendre. J'ai pu supporter le travail à la buanderie parce que mon avenir m'y attendait. « Paris » était un raccourci pour désigner l'endroit où ma vraie vie pouvait commencer.

*   *   *

Je viens de me rappeler, en évoquant *Les Misérables,* un livre lu quand j'étais toute petite. Je le cherche sur Google : *Hélène, A Little French Schoolgirl,* me semble-t-il. Je me suis trompée à moitié, c'est Nicole, et non Hélène, de Maud Frère. Mais la couverture apparue sur mon écran m'est aussi familière que ma main. On y lit : « *What does a little French girl do at school and at home? Here, for American readers, is a colorful picture of French family life, accompanied by a list of everyday French words and their English equivalents.* »

Nicole, c'est moi : une petite fille aux cheveux mi-longs, d'épaisses lunettes noires, penchée de très près sur un livre dans sa salle de classe, absorbée, contente, le petit doigt levé comme pour poser une question ou partager sa vision du monde. Nicole, c'est moi : un peu *loser* avec sa myopie et sa passion pour les livres, mais pleine de bonne volonté et d'une curiosité infinie. Avec les Leduc, Nicole m'a sûrement formée, grande petite sœur avec sa vie française. Mais je l'avais oubliée. Il y a toujours une autre version des faits, un papier peint sous la peinture unie, une autre histoire qui vient quand on tire sur le fil.

*   *   *

Quatorze mois après le café Barbieri, en mars 2019, je reprends les notes sans suite que j'y ai rédigées dans la fièvre.

Je suis de nouveau à Paris. C'est ma mère qui m'offre ce séjour : je dépense peu à peu le petit héritage qu'elle m'a laissé, je crois qu'elle m'approuverait.

Tous les matins de semaine, à sept heures, je suis au Café de la Mairie, place Saint-Sulpice (les samedi et dimanche au Rostand). C'est ici que Georges Perec s'installe, pendant trois jours d'octobre 1974, pour consigner ce qu'il voit, les gestes quotidiens, la vie de la place. Je préfère au rez-de-chaussée la paisible salle à l'étage, avec ses banquettes de cuir ocre et ses hautes fenêtres ouvrant sur la place et sur l'église, sur le magasin Yves Saint Laurent qui fait le coin de la rue des Canettes. Un vaisseau spatial flottant paisiblement quelques mètres au-dessus du réel.

Jour après jour, je cherche la forme de ce livre. De loin en loin, je lève la tête et regarde la place. Je vois une femme très droite, aux cheveux tout blancs, enveloppée dans une longue cape violette comme une actrice des années 1920. Une autre qui retient son feutre noir contre le vent. De jeunes couples avec des poussettes surdimensionnées où dorment des bébés qui feront bientôt voguer les petits voiliers sur le bassin du jardin du Luxembourg. On lave la rue, des bus passent en faisant résonner leur cloche de vache laitière, les serveurs sortent fumer sur la place. Toute la vie terne et colorée et bruyante d'une grande ville, et mes mains qui bougent sur le clavier.

À midi, chaque jour, je quitte le café et je pars au hasard, j'arpente des rues connues ou nouvelles, j'arrête dans un cinéma, une librairie, un autre café. Je revois à la Filmothèque *Mort à Venise*, que j'avais déjà revu il y a des années à l'Accattone. Palimpsestes, superpositions. Au téléphone, mon fils me rappelle avoir demandé que je l'y emmène voir *Le Cuirassé Potemkine*. Je revois au Champo *Les Nuits de la pleine lune*, vu à sa sortie, à Québec. L'amusante insistance d'Octave pour coucher avec la protagoniste, qui tient, elle, à ce qu'ils restent amis sans plus, ne me semble plus drôle du tout. Les œuvres aussi changent avec le temps, et selon chacun des regards posés sur elles dans la salle. Le soir, je reprends le travail au café Rostand, le plus emblématique de Paris à mes yeux. À minuit, le café ferme. Je rentre et je dors d'un sommeil paisible, sans rêves. Le lendemain, je recommence.

Matin et soir, je cherche un livre dans un amas de feuilles. Je construis, réécris, invente ou découvre un chemin, une structure. Je suis tendue vers les mots et les images, attentive, absorbée, heureuse.

*   *   *

Dès que je mets les pieds à l'université (je n'ai pas pu quitter Kitchener-Waterloo, mais je franchis tout de même des seuils), je suis dans mon élément, j'oublie les misères du secondaire. Je dévore tout ce qu'on nous propose : Racine, Corneille, Molière, l'abbé Prévost, Montesquieu, Voltaire, Baudelaire, Balzac, Zola, Gide, Camus, Mauriac, Sartre. Pas une seule femme, sinon en littérature québécoise.

En deuxième année, je deviens féministe. Un inconnu, une nuit, se jette sur moi à une rue de mon appartement et essaie de m'entraîner dans sa voiture ; je hurle de toutes mes forces et il fuit. J'ai lu *Madame Bovary* avec un ennui empreint de rage, moi qui avais avalé sans mal les pavés les plus assommants, qui avais lu au cours d'un doux été les sept gros tomes d'*À la recherche du temps perdu,* alors que les autres, à la rentrée, ne finiraient même pas le premier. Mais Flaubert me désespérait, son portrait de femme me révulsait, et mon professeur, qui jusque-là m'adorait, s'est gentiment moqué de moi quand je l'ai dit en classe. Enfin, j'ai lu pour la première fois *Bonheur d'occasion* et j'y ai découvert avec ravissement une voix de femme que je reconnaissais, une femme qui parlait d'une jeune fille ambitieuse de milieu ouvrier, comme moi, qui aimait sa mère, comme moi, et qui voulait la fuir, comme moi. J'aimais Paris, mais je tombais amoureuse de la littérature québécoise.

*   *   *

En décembre 1979, je venais d'avoir vingt ans, j'ai atterri à Paris pour la première fois. Mon amoureux de l'époque, de famille irlandaise, était déjà parti y travailler et je devais m'y installer avec lui en avril, à la fin de mes études de premier cycle. Il vivait en banlieue, à Fontenay-le-Fleury, et nous nous rendions chaque jour à Paris, carte orange cinq zones en main. Paris n'était encore pour moi qu'un mélange de clichés et de cartes postales, mais tout devenait vrai, peu à peu : *Regarde, la Seine! Regarde, la tour Eiffel! Regarde, le Panthéon! Le Radeau de la Méduse* en vrai après l'avoir vu sur la couverture d'un livre de cours, Shakespeare and Company, les Tuileries, la maison de Victor Hugo, les croissants et les crêpes, les sandwichs merguez dont se nourrissent les étudiants, les cahiers Clairefontaine, les bouquinistes. Émerger pour la première fois du métro devant la fontaine Saint-Michel, entrer dans la scène si souvent rêvée. Nous arpentions le Quartier latin, jeunes parmi les jeunes, et Paris était un bourdonnement de beauté et de désir, la concrétisation de tous mes rêves.

Durant ma deuxième visite, en mars, mon amoureux travaillait et j'errais seule. Elles s'étaient transformées, les rues, le long de la Seine ou du côté de Saint-André-des-Arts, que je parcourais avec mes robes indiennes à l'ourlet inégal et mes petits chaussons chinois, un peu perdue, mais ravie de l'être. À tout bout de champ, un homme s'approchait, se penchait vers moi : *Mademoiselle, je vous raccompagne. Mademoiselle, vous êtes divine, venez chez moi.* Ils mettent la main sur leur cœur. Ils touchent mon bras, ma main, agrippent ma taille, tentent de m'embrasser. Je presse le pas, mais dès que l'un abandonne la partie, un autre surgit. J'avais vu mon amoureux s'en prendre dans son français approximatif aux policiers qui harcelaient les immigrants et se faire demander ses papiers à lui, je savais qu'ils avaient une existence difficile. Mais les rues, à cause d'eux, étaient devenues menace, piège.

*   *   *

Je terminais l'université, je faisais mes boîtes, Paris et mon amoureux m'attendaient. Puis, à quelques jours du départ, il m'a dit au téléphone que c'était fini. L'avenir s'est fermé comme un parapluie et j'ai perdu Paris.

J'aurais pu y aller sans lui. Tous les jours, de jeunes femmes partent, seules, vers des destins plus incertains. Je ne sais pas ce qui m'a retenue. La peur de le revoir? Le désir de tourner la page, d'écrire un autre livre de ma vie? Le souvenir de tous ces hommes dans les rues? J'étais une fille de mon époque, et pas aussi libre que je le pensais.

L'année suivante, pendant ma maîtrise en littérature française à Toronto, j'ai suivi le cours d'un professeur invité de l'Université Laval. Il nous a vanté Québec et c'est ainsi que j'y ai abouti. Après le doctorat à Laval sont venus Toronto, où j'ai eu mon premier poste de professeure, puis, trois ans plus tard, Montréal, où je vis bien, où je suis heureuse.

Si j'étais allée vivre à Paris, je n'aurais sans doute pas eu de poste dans une université française. Aurais-je traduit des livres ? J'aurais eu d'autres hommes, j'aurais eu d'autres enfants, ou aucun. Paris est aussi le symbole de ces moi qui ne sont pas nés et dont je ne peux pas imaginer le destin.

*   *   *

Strates archéologiques d'une ville, d'un moi. Au jardin du Luxembourg, je revis d'autres visites, je vois une photo de moi en robe de lin noir qu'a prise mon amant de l'époque, je vois ma fille, vers six ans, passer à deux doigts de tomber du carrousel en se tendant vers les anneaux en métal, mon fils rire aux larmes au spectacle de Polichinelle. Où sont passés ces enfants confiants, devenus grands ? Comment cette jeune fille en jupe vaporeuse, puis cette jeune femme en robe de lin noir, sont-elles devenues moi, une femme infiniment plus âgée qui croit parfois n'avoir rien appris ?

*   *   *

À côté de moi au Café de la Mairie – la salle, normalement si tranquille, s'est remplie vite ce matin –, une jeune anglophone écoute les conseils d'une Française pour favoriser son apprentissage linguistique (écouter France Inter, lire Annie Ernaux, se faire des amis francophones).

Je me demande si je parlais aussi mal qu'elle au

début, si j'étais aussi énervante, aussi touchante. Elle connaît beaucoup de mots et d'expressions, mais ses phrases sont lentes et entrecoupées de « hmm », ses intonations, celles de l'anglais : *Je m'intéresse à l'écriture féminin, je vais à Sacré-Cœur, je ne souviens pas, je n'ai aucun connaissance.* Elle entend certaines de ses erreurs, mais ne se corrige jamais, elle poursuit avec un petit rire. Elle parle anglais avec tous ses amis, dit-elle sans regret, je vois qu'elle n'a pas largué les amarres. Elle est plus solide que je l'étais, plus sûre d'elle, moins douée ou moins désespérée.

Les bons conseils défilent, elle ne prend pas de notes. Elle fera son chemin, quel qu'il soit, sans écouter personne. Je voudrais lui souhaiter bon courage, lui faire une ou deux suggestions de mon cru, mais je me contente de lui sourire. Je la laisse partir sans un mot, elle n'a pas besoin de moi.

Ils vivent en moi

Je parle en langues. Les langues parlent à travers moi. Je suis porte, conduit, passage.

*   *   *

Bien des années ont coulé sous les ponts et je vis toujours le choc et le chant de mes trois langues. Je ne peux pas me séparer de mes langues, je n'existe que parce que j'en ai plus d'une. Je ne peux pas non plus séparer l'histoire de mes langues – les Leduc, la mort de ma sœur et le reste – de ce que je fais avec elles, de ce que j'ai fait de ma vie : enseigner, écrire, traduire, à l'oral ou à l'écrit, autant de formes de passages. De mes trois bobines de couleur, je tire de nombreux fils.

*   *   *

Jeune, je ne croyais qu'à la volonté. J'ai voulu, voulu, travaillé sans relâche. Et j'ai échappé à cette ville que je ne pouvais pas appeler « ma ville », j'ai échappé à l'ennui de la buanderie. Je suis arrivée là où mon imagination de jeune fille me projetait, dans ma vie bilingue, puis trilingue, dans ma vie d'écriture, ma vie épanouie. J'ai publié des livres, alors que dans ma famille on lisait peu et que personne n'avait jamais songé à écrire. Mon passeport est plein de tampons et de visas, j'ai la vie que je voulais, j'aime et je suis aimée, j'ai réussi mon évasion.

Toutes les choses que je convoitais, et d'autres encore que ma classe sociale ne me permettait même pas d'imaginer (je ne savais pas ce qu'était une conférence plénière, et voilà qu'on m'invite à en prononcer un peu partout), me sont tombées dans les mains à force de patients efforts.

Ma vie est l'histoire des langues à l'œuvre dans l'espace et dans mon corps. Une histoire de voix. Je sens ma dette envers elles, mon devoir, mon plaisir est de les faire miroiter, d'être leur miroir, leur haut-parleur.

*　　*　　*

Ma vie n'est pas la vie de ma mère. J'ai eu une carrière, une vie libre, j'ai voyagé. (Mes enfants trouvent même que j'ai trop voyagé, alors que j'aurais tout donné pour que ma mère parte de temps en temps – elle aussi, du reste.)

Jeune, je pensais qu'en faisant le contraire d'elle je lui échapperais.

Il y a longtemps que je sais que ma vie est issue de son ambition frustrée, de l'ambition qu'elle a injectée dans mes veines comme un poison ou son antidote, à moi, son aînée, celle sur qui elle comptait. N'est-ce pas sa main, plutôt que la mienne, qui a écrit mon destin ?

Le vide de ma mère a rempli ma vie.

J'étais sa grande fille et je devais faire de grandes choses, parce qu'elle en avait besoin, mais celles que j'ai choisies étaient incompréhensibles pour elle. Littéralement, dans le cas des langues ; mais aussi pour les activités universitaires. Son ambition nous a réunies, son ambition nous a séparées.

Ma mère a longtemps nourri des conflits entre ma sœur et moi en faisant systématiquement à chacune l'éloge de l'autre. La maladie de Cari nous a permis de nous connaître enfin, dans les dernières années de sa vie. Derrière la femme conservatrice et conventionnelle avec laquelle je me sentais peu d'affinités, j'en ai vu une autre, courageuse, forte, généreuse, qui m'a inspiré une grande admiration.

À la fin de sa vie (j'avais d'abord écrit : « à la fin de sa fille »), ma mère, cette femme dure qui perçait à jour mes défauts les mieux cachés et n'hésitait jamais à me les signaler, idéalement devant public, est devenue douce, tendre, enveloppante. Un jour, comme si j'étais une enfant à laquelle elle offrait un bonbon, elle m'a donné de l'argent pour que j'aille m'acheter un cadeau de sa part – *Vas-y tout de suite en sortant d'ici* –, elle qui était déjà dans une résidence et n'avait plus le moindre désir de la quitter, même une heure. J'ai choisi un foulard orange qui m'accompagne maintenant tout l'hiver, emblème joyeux de sa douceur ultime. Elle m'a dit que j'étais belle, elle m'a dit qu'elle m'aimait, elle m'a dit que j'étais une bonne mère et que j'avais bien fait de voyager. Avec Darla encore, j'étais là au moment de sa mort, un passage si imperceptible que nous nous sommes demandé si c'était bien ça, et après, Darla est sortie et je me suis allongée à côté de ma mère qui n'avait plus mal nulle part et je l'ai enveloppée de mes bras pendant de longues minutes paisibles, et j'ai respiré pour celle qui m'avait appris à respirer, quand les crises d'asthme m'étouffaient.

*　　*　　*

En visitant mon école primaire détruite et reconstruite, j'ai pris une photo devant les grandes vitres pleine hauteur qui tapissent le fond de l'édifice. On y voit surtout le reflet d'un ciel très bleu et de nuages blancs, vifs, rapides, qui me rappellent la ville qui n'a jamais cessé de s'appeler Berlin. Et si on regarde bien, je suis là, moi aussi, toute petite en bas et à droite.

Ma vie que j'ai voulue totalement indépendante – naïveté, prétention, nécessité vitale de jeune fille, jamais je n'aurais pu me réinventer sans cette conviction – est le fruit de beaucoup d'autres. Lieu commun, lieux communs et partagés, sources de consolation aujourd'hui. Après avoir tant renié, je renoue.

J'ai arraché cette histoire au silence. Je rends hommage – et peut-être une forme de justice – à mes parents. À ma ville natale, chose que je n'aurais jamais, au grand jamais pensé faire.

*   *   *

Depuis mon enfance et mes amitiés avec des gens venus de partout, je suis allergique à la pureté. En réponse à la « pure laine », j'ai écrit une nouvelle intitulée « Pur polyester ». J'aime les exilés, les diasporés, les transfuges linguistiques et les asilés politiques, les sabirisants et les patoisants et même les baragouinants, les Indiens qui écrivent en anglais et les Slaves qui écrivent en français et les Marocains qui écrivent en catalan, les interprètes, les passeurs, les dissidents et les mépriseurs de frontières, les sans-papiers et les sans-filet, les inventeurs de mondes et les métisseurs de formes, tous ceux qui mêlent les langues comme on mêle les cartes.

Je suis des leurs maintenant.

*   *   *

J'ai configuré mon ordinateur pour pouvoir passer d'une langue d'écriture à l'autre ; en haut à droite sont apparus trois drapeaux qui signifient mes langues. Un seul clic sur l'un d'eux et la langue change, ou plutôt le clavier vous permet l'accès aux signes d'une langue différente. Image de ce qui se passe dans le cerveau ? Quel est le mystérieux levier qui vous fait autre ?

Ma vie est à l'image de cette combinaison de drapeaux.

*   *   *

Je vois à présent que me traduire pleinement vers le français, ou plutôt me réinventer en français, puis, plus tard, en espagnol, a été l'œuvre de ma vie. Je suis une transfuge, une translingue.

J'y ai mis du temps, j'y ai mis toute ma vie.

*   *   *

Je me pensais unique, et je l'étais ; s'il y a d'autres écrivaines québécoises francophones nées anglophones à Kitchener, je voudrais bien les connaître.

Je me pensais unique, et je ne l'étais pas, ou je l'étais comme tout le monde : mon histoire, comme toute histoire, a d'étranges parallèles avec la vie collective. J'ai été façonnée par cette histoire de langue tuée qui a marqué ma ville et mes grands-parents. Les autres langues ont servi à combler la brèche béante laissée par l'allemand.

Mon histoire, c'est une histoire d'ascension sociale, de honte et d'orgueil, d'une fille qui mène la bataille de sa mère, d'une mère défaite par la victoire de sa fille. C'est une histoire où la rumeur de la meute étouffe la langue privée, l'histoire d'une ville qui a deux noms et d'une femme qui a quatre langues, trois qu'elle connaît et une dont elle ne sait presque rien.

C'est l'histoire d'une voix – de la manière dont la voix change ou même naît lorsqu'on change de langue –, c'est l'histoire d'une femme qui est parvenue à parler enfin.

*   *   *

Je me suis tuée autant que je me suis donné naissance.

Toute renaissance est d'abord une agonie : le phénix *meurt*. Le phénix agonise dans les flammes qui le régénèrent (mais la question de toujours : est-ce la même créature qui émerge, un peu roussie, en lissant ses plumes toutes fraîches, ou une autre qui a perdu jusqu'au souvenir du bûcher ?).

*   *   *

J'avais refusé la transmission. Changé de nom. Brisé la lignée. Détruit la continuité. Rêves de jeune fille, de jeune femme dure, radicale, et qui ne sait pas encore qu'elle vieillira. La rupture radicale d'avec l'origine est un rêve de jeunesse. Avec l'âge, on comprend mieux qu'on ne peut pas tout refuser, même si on le désire de toutes ses forces. Il y a des choses qu'on garde malgré soi, d'autres qu'on choisit, plus tard, de conserver après tout.

On ne peut pas être de nulle part, on ne peut pas tout refaire. Je n'oublierai jamais l'anglais et je ne veux plus l'oublier, mes parents sont en moi, je suis dans mes enfants, le visage de ma mère vit chaque jour davantage dans mon miroir.

J'ai parlé anglais avec mes parents, je parle anglais avec mes enfants. C'est une boucle doucement bouclée, un goût de miel, et non plus de fiel, dans la bouche.

Leur bilinguisme est profond, solide, naturel, *normal,* ils sont exempts des états d'âme compliqués de leur mère. Il leur est constitutif, mais ils n'y voient pas une question de vie ou de mort. Ils sont libres de faire autre chose de ces milliers d'heures que leurs parents leur ont données.

Je vis très bien dans ma vie triple, dans ma ville bilingue, mon chez-moi dans la mesure où dans cette vie j'aurai un chez-moi, la ville où mes livres ont été écrits, où mes enfants sont nés. J'en pars souvent aussi, je suis demeurée *restless, reckless,* tous ces beaux mots en -*less* qui ne trouvent jamais de traduction parfaite.

*   *   *

J'ai cherché à comprendre d'où venaient cette faille, ce manque en moi, ce besoin d'être ailleurs que les autres ne sentaient pas. (Ou encore ce *trop* en moi qui étais trop *différente,* ces manies, ces désirs inconnus.)

J'ai donné mes réponses – qui ne sont que des constructions, c'est-à-dire des fictions, mais qui sonnent vrai pour moi. L'interdiction de l'allemand par les grands-parents, la coupure d'avec les origines, la douleur dont, comme aînée, j'avais hérité. Ou encore – et aussi – l'insatisfaction amère de ma mère.

Je ne peux pas regretter une seule minute des malheurs passés, ni les leurs ni les miens. Sans eux, je ne serais pas.

*　*　*

Quand j'avais environ vingt-cinq ans, j'ai écrit un texte de fiction qui se terminait ainsi : « J'ai quinze ans. J'aurai toujours quinze ans. » Je l'ai traînée longtemps, la petite fille trop bizarre du secondaire, emmurée dans son malheur. Maintenant, après tout ce temps, j'ai relu ses journaux intimes et je l'ai laissée aller, petit corps que j'ai enveloppé dans un linceul fait de pages, petite fille que je lance à la mer comme une bouteille, et que je sens sombrer enfin, trouver sa douce sépulture d'eau. Ce livre est sa mort et sa survie, son tombeau et sa commémoration.

*　*　*

Derrière l'allemand, il n'y a plus de langue. Mais peut-être que j'en ai d'autres devant moi : peut-être que j'apprendrai un jour cette langue des miens et dont je capte parfois le lointain écho, dont je sens parfois les réverbérations en moi. Mais peut-être aussi que je choisirai le grec ancien ou, qui sait, le japonais.

*　*　*

Les Leduc vivent encore dans ma tête, mais flous, évanescents, malgré la force avec laquelle ils sont entrés en moi il y a tant d'années. Tout à coup, je suis obsédée par l'idée de les revoir. À la commission scolaire où j'appelle, en Ontario, une femme aimable me répond qu'ils ont jeté il y a une éternité tout le vieux matériel pédagogique. Dans les archives de l'Ontario Institute for Studies in Education, à Toronto, je trouve certains manuels, certains livres d'exercices, mais pas les premiers de la série, ni les grands cartons colorés de mon souvenir.

J'ai retrouvé le piédestal du kaiser, mais – autant m'y résigner – je ne reverrai jamais M. et Mme Leduc, Jacques, Suzette, Henri et Marie-Claire, et personne de ma connaissance ne se souvient de l'allure qu'avait Pitou. Je le vois petit et blanc, frisotté, mais peut-être que je le confonds avec Idéfix, ou avec un autre chien dans une autre histoire. Bonjour, Pitou, adieu Pitou ! De ma vie, jamais je n'ai tant désiré une image.

Les Leduc sont morts, les Leduc vivent en moi, les mots vivent en moi et moi dans les mots, et j'aurai beau frapper à deux poings sur la porte du passé, on ne m'ouvrira pas. Mais je n'ai pas besoin, pas profondément besoin, d'y entrer. J'ai refait ma vie, ailleurs.

*   *   *

Jeune femme, j'ai cru qu'avec le français je pourrais devenir entière. Trouver mon moi, mon chez-moi.

J'ai mis du temps à comprendre que je ne deviendrais pas entière. Ma laine ne sera jamais pure, mon identité sera toujours métissée, jamais je ne coïnciderai avec moi-même. Il y a toujours un décalage comme dans la cabine d'interprétation, je courrai toujours après mon ombre, mais je l'ai accepté, assumé, je m'en réjouis même. J'ai trouvé toutes sortes de façons de réunir temporairement les différents morceaux de mon moi, ou plutôt de jouer simultanément avec les deux, voire les trois : la traduction, l'interprétariat, l'écriture. Mon absence d'*entièreté* me permet de fabriquer des choses nouvelles, moi-même au premier chef, ensuite, des textes.

Mon identité ne se résume à aucune de mes langues : aucune, seule, ne me suffit. Elle ne réside même pas dans la somme des trois ; elle se trouve dans le fait de penser presque simultanément dans les trois, dans leur danse fluide, dans les mouvements *entre*. C'est de là – du décalage permanent, de l'entre-deux ou l'entre-trois, de cet équilibre précaire qui fait de moi une funambule de tous les instants – que vient mon écriture, c'est de là que vient ma voix. Voilà pourquoi je suis à la fois original et traduction, ou peut-être un triple original.

Il y a longtemps que j'ai renoncé à l'illusion d'un moi entier, que je jouis de tous mes morceaux. De toutes mes voix, de tous mes passages. Interstices, ouvertures. Ne pas simplement marcher sur la corde raide : y *danser*.

*   *   *

Récemment, ma cousine Janet est tombée sur un ancien amant à moi, qui lui a demandé de mes nouvelles : *What about Lori, is she still doing that Frenchie thing? She's been at that for a long time now.*

La langue n'est ni un *avoir*, ni un *faire*, c'est un *être*. C'est mon être.

Pour qui tu te prends, toi? Qui? Qui?

*   *   *

Les langues sont des espaces, les langues sont des jeux. Je refuse la pureté, je refuse de choisir. Je veux les deux, je veux les trois, je veux tout. Le travail, c'est un jeu, et j'aime mon travail. Une passeuse de langues, une ignoreuse de frontières, une tisseuse de mots. Voilà pour qui je me prends. Voilà qui je suis.

Table des matières

Tout le monde a une langue maternelle   9

Au café Barbieri   21

Changer de langue maternelle   29

Le nom sale   37

Scènes d'une adolescence   49

L'exil à domicile   83

Le miroir des langues   89

Imparfaitement bilingue   111

La femme à deux têtes va à Buenos Aires   129

La langue fantôme   139

Paris est une idée   161

Ils vivent en moi   173

CRÉDITS ET REMERCIEMENTS

Les Éditions du Boréal remercient le Conseil des arts du Canada
ainsi que le gouvernement du Canada pour leur soutien financier.
Canada

Les Éditions du Boréal sont inscrites au Programme d'aide
aux entreprises du livre et de l'édition spécialisée de la SODEC
et bénéficient du Programme de crédit d'impôt pour l'édition
de livres du gouvernement du Québec.
Québec ⬛⬛

Photographie de la couverture : © Serge Clément, *Vienne 2002 – Staatsoper.*

EXTRAIT DU CATALOGUE

Gilles Archambault
  À peine un petit air de jazz
  À voix basse
  Les Choses d'un jour
  Combien de temps encore?
  Comme une panthère noire
  Courir à sa perte
  De l'autre côté du pont
  De si douces dérives
  Doux dément
  Enfances lointaines
  En toute reconnaissance
  La Fleur aux dents
  La Fuite immobile
  Lorsque le cœur est sombre
  Les Maladresses du cœur
  Nous étions jeunes encore
  L'Obsédante Obèse et autres agressions
  L'Ombre légère
  Lorsque le cœur est sombre
  Parlons de moi
  Les Pins parasols
  Qui de nous deux?
  Les Rives prochaines
  Stupeurs et autres écrits
  Le Tendre Matin
  Tu écouteras ta mémoire
  Tu ne me dis jamais que je suis belle
  La Vie à trois
  Le Voyageur distrait
  Un après-midi de septembre
  Une suprême discrétion
  Un homme plein d'enfance
  Un promeneur en novembre
Margaret Atwood
  Comptes et Légendes
  Cibles mouvantes
  L'Odyssée de Pénélope
Edem Awumey
  Explication de la nuit
  Mina parmi les ombres
  Les Pieds sales
  Rose déluge
Gary Barwin
  Le Yiddish à l'usage des pirates
Carl Bergeron
  Voir le monde avec un chapeau
Nadine Bismuth
  Êtes-vous mariée à un psychopathe?
  Les gens fidèles ne font pas les nouvelles
  Scrapbook
  Un lien familial

Neil Bissoondath
  À l'aube de lendemains précaires
  Arracher les montagnes
  Cartes postales de l'enfer
  La Clameur des ténèbres
  Tous ces mondes en elle
  Un baume pour le cœur
Marie-Claire Blais
  Augustino et le chœur de la destruction
  Aux Jardins des Acacias
  Dans la foudre et la lumière
  Des chants pour Angel
  Le Festin au crépuscule
  Le Jeune Homme sans avenir
  Mai au bal des prédateurs
  Naissance de Rebecca à l'ère des tourments
  Noces à midi au-dessus de l'abîme
  Soifs
  Une réunion près de la mer
  Une saison dans la vie d'Emmanuel
Virginie Blanchette-Doucet
  117 Nord
Geneviève Boudreau
  La Vie au-dehors
Claudine Bourbonnais
  Métis Beach
Melissa Bull
  Éclipse électrique
André Carpentier
  Dylanne et moi
  Extraits de cafés
  Gésu Retard
  Mendiant de l'infini
  Moments de parcs
  Ruelles, jours ouvrables
Ying Chen
  Blessures
  Le Champ dans la mer
  Espèces
  Immobile
  Le Mangeur
  *Querelle d'un squelette
    avec son double*
  La rive est loin
  Un enfant à ma porte
Émilie Choquet
  Un espace entre les mains
Paige Cooper
  Zolitude
Gil Courtemanche
  Je ne veux pas mourir seul
  Le Monde, le lézard et moi

Un dimanche à la piscine à Kigali
Une belle mort
France Daigle
  Petites difficultés d'existence
  Pour sûr
  Un fin passage
Michael Delisle
  Le Feu de mon père
  Le Palais de la fatigue
  Tiroir Nº 24
Louise Desjardins
  Cœurs braisés
  Le Fils du Che
  L'Idole
  Rapide-Danseur
  So long
Christiane Duchesne
  L'Homme des silences
  L'Île au piano
  Mensonges
  Mourir par curiosité
Rima Elkouri
  Manam
Stéphanie Filion
  Grand fauchage intérieur
Jonathan Franzen
  Les Corrections
  Freedom
  Purity
Katia Gagnon
  Histoires d'ogres
  Rang de la Croix
  La Réparation
Catherine Eve Groleau
  Johnny
Agnès Gruda
  Mourir, mais pas trop
  Onze petites trahisons
Joanna Gruda
  L'enfant qui savait parler
  la langue des chiens
Brigitte Haentjens
  Un jour je te dirai tout
Louis Hamelin
  Autour d'Éva
  Betsi Larousse
  La Constellation du Lynx
  Le Joueur de flûte
  Sauvages
  Le Soleil des gouffres
  Le Voyage en pot
Suzanne Jacob
  Amour, que veux-tu faire?
  Les Aventures de Pomme Douly
  Feu le Soleil

Fugueuses
Histoires de s'entendre
Parlez-moi d'amour
Un dé en bois de chêne
Wells
Renaud Jean
  Rénovation
  Retraite
Jack Kerouac
  La vie est d'hommage
Thomas King
  L'Indien malcommode
Marie-Sissi Labrèche
  Amour et autres violences
  Borderline
  La Brèche
  La Lune dans un HLM
Dany Laferrière
  L'Art presque perdu de ne rien faire
  Autoportrait de Paris avec chat
  Chronique de la dérive douce
  L'Énigme du retour
  Je suis un écrivain japonais
  Pays sans chapeau
  Vers d'autres rives
  Vers le sud
Robert Lalonde
  C'est le cœur qui meurt en dernier
  Des nouvelles d'amis très chers
  Espèces en voie de disparition
  Fais ta guerre, fais ta joie
  Le Fou du père
  Iotékha'
  Le Monde sur le flanc de la truite
  Monsieur Bovary ou mourir au théâtre
  Où vont les sizerins flammés en été?
  Le Petit Voleur
  Que vais-je devenir jusqu'à
    ce que je meure?
  Le Seul Instant
  Un cœur rouge dans la glace
  Un jardin entouré de murailles
  Un jour le vieux hangar sera emporté
    par la débâcle
  Le Vacarmeur
Monique LaRue
  Copies conformes
  De fil en aiguille
  La Démarche du crabe
  La Gloire de Cassiodore
  L'Œil de Marquise
Dominique Lebel
  L'Entre-deux-mondes
André Major
  À quoi ça rime?

L'Esprit vagabond
Histoires de déserteurs
La Vie provisoire
Tristan Malavoy
   Le Nid de pierres
Hélène Monette
   Le Blanc des yeux
   Il y a quelqu'un ?
   Là où était ici
   Où irez-vous armés de chiffres ?
   Plaisirs et paysages kitsch
   Thérèse pour Joie et Orchestre
   Un jardin dans la nuit
   Unless
Lisa Moore
   Février
   Open
   Piégé
Guillaume Morissette
   Nouvel onglet
   Le Visage originel
Alice Munro
   Du côté de Castle Rock
   Fugitives
   Rien que la vie
   Un peu, beaucoup, passionnément,
     à la folie, pas du tout
Josip Novakovich
   Infidélités
   Poisson d'avril
   Trois morts et neuf vies
Grace O'Connell
   Foudroyée
Michael Ondaatje
   Divisadero
   Le Fantôme d'Anil
   Ombres sur la Tamise
   La Table des autres
Michèle Ouimet
   L'Heure mauve
   La Promesse
Daniel Poliquin
   Cherche rouquine, coupe garçonne
   L'Écureuil noir
   L'Historien de rien
   L'Homme de paille
   La Kermesse
   Le Vol de l'ange
Monique Proulx
   Les Aurores montréales
   Ce qu'il reste de moi
   Champagne
   Le cœur est un muscle involontaire
   Homme invisible à la fenêtre

Rober Racine
   L'Atlas des films de Giotto
   Le Cœur de Mattingly
   L'Ombre de la Terre
   La Petite Rose de Halley
   Les Vautours de Barcelone
Mordecai Richler
   L'Apprentissage de Duddy Kravitz
   Le Cavalier de Saint-Urbain
   Joshua
   Le Monde selon Barney
   Solomon Gursky
Simon Roy
   Owen Hopkins, Esquire
Lori Saint-Martin
   Les Portes closes
Jacques Savoie
   #Maria
Mauricio Segura
   Bouche-à-bouche
   Côte-des-Nègres
   Eucalyptus
   Oscar
   Viral
Alexandre Soublière
   Amanita virosa
   Charlotte before Christ
Gaétan Soucy
   L'Acquittement
   Catoblépas
   Music-Hall !
   La petite fille qui aimait trop les allumettes
Miriam Toews
   Ce qu'elles disent
   Drôle de tendresse
   Irma Voth
   Jamais je ne t'oublierai
   Pauvres petits chagrins
   Les Troutman volants
Lise Tremblay
   Chemin Saint-Paul
   L'Habitude des bêtes
   La Sœur de Judith
Marie-Laurence Trépanier
   Saints-Damnés
Guillaume Vigneault
   Carnets de naufrage
   Chercher le vent
Kathleen Winter
   Annabel
   Nord infini
   Onze jours en septembre

L'intérieur de ce livre a été imprimé sur du papier
100 % postconsommation, traité sans chlore, certifié ÉcoLogo
et fabriqué dans une usine fonctionnant au biogaz.

MISE EN PAGES ET TYPOGRAPHIE :
LES ÉDITIONS DU BORÉAL

ACHEVÉ D'IMPRIMER EN FÉVRIER 2020
SUR LES PRESSES DE L'IMPRIMERIE GAUVIN
À GATINEAU (QUÉBEC).